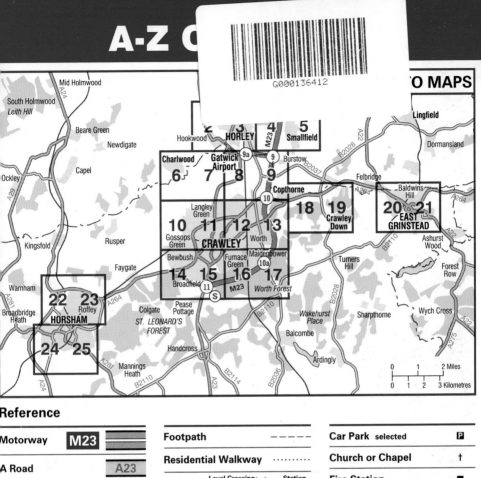

## Reference

| | |
|---|---|
| **Motorway** M23 | |
| **A Road** A23 | |
| **B Road** B2028 | |
| **Dual Carriageway** | |
| **One Way Street** Traffic flow on A Roads is also indicated by a heavy line on the drivers left | |
| **Pedestrianized Road** | |
| **Restricted Access** | |
| **Track** | |

| | |
|---|---|
| **Footpath** | — — — |
| **Residential Walkway** | .......... |
| **Railway** Level Crossing / Station | |
| **Built Up Area** MILL ST. | |
| **Local Authority Boundary** | — · — · — |
| **Posttown Boundary** | |
| **Postcode Boundary** within Posttown | — — — |
| **Map Continuation** | 8 |

| | |
|---|---|
| **Car Park** selected | P |
| **Church or Chapel** | † |
| **Fire Station** | ■ |
| **Hospital** | H |
| **House Numbers** A & B Roads only | 86  3 |
| **Information Centre** | i |
| **National Grid Reference** | 520 |
| **Police Station** | ▲ |
| **Post Office** | ★ |
| **Toilet** with Facilities for the Disabled | ▽ |

## Scale

**1:15,840**
**4 inches to 1 mile**

0  ¼  ½  ¾ Mile

0  250  500  750 Metres  1 Kilometre

## Copyright of Geographers' A-Z Map Company Limited

Head Office : Fairfield Road, Borough Green, Sevenoaks, Kent TN15 8PP  Tel: 01732 781000
Showrooms : 44 Gray's Inn Road, London WC1X 8HX  Tel: 0171 242 9246

Based upon the Ordnance Survey mapping, with the permission of Her Majesty's Stationery Office.

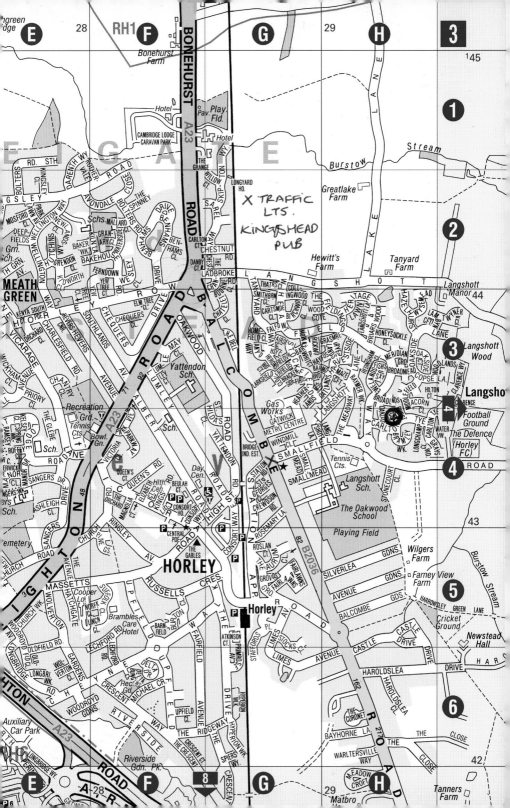

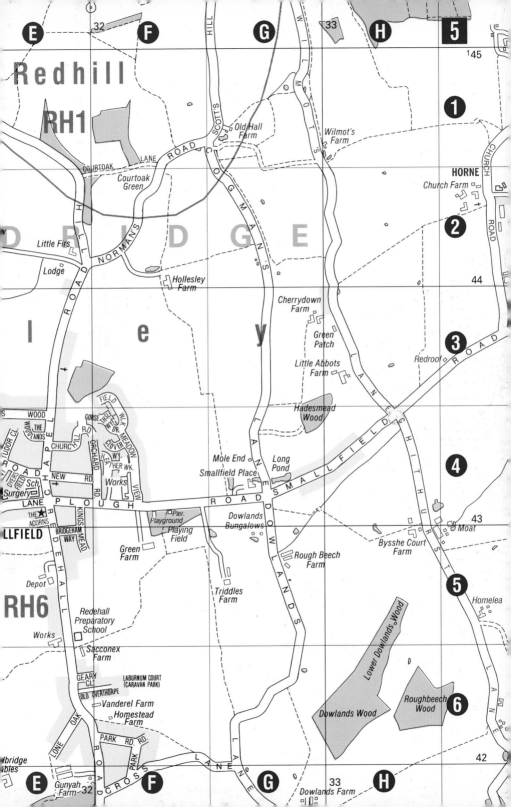

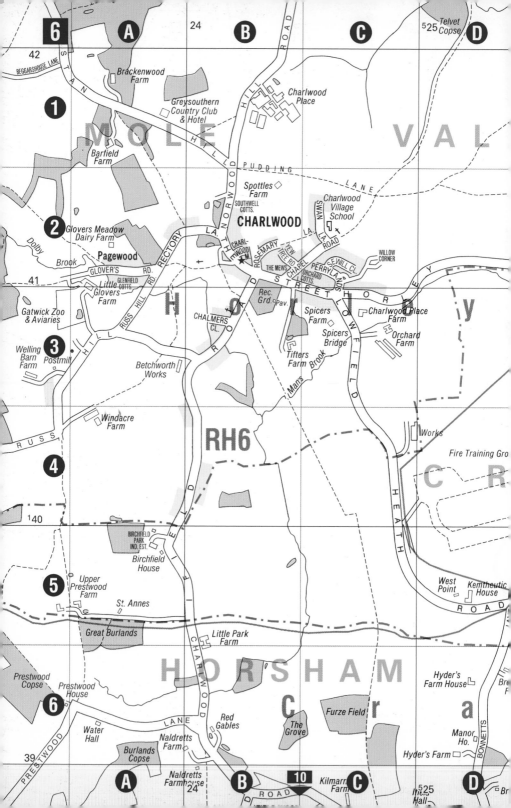

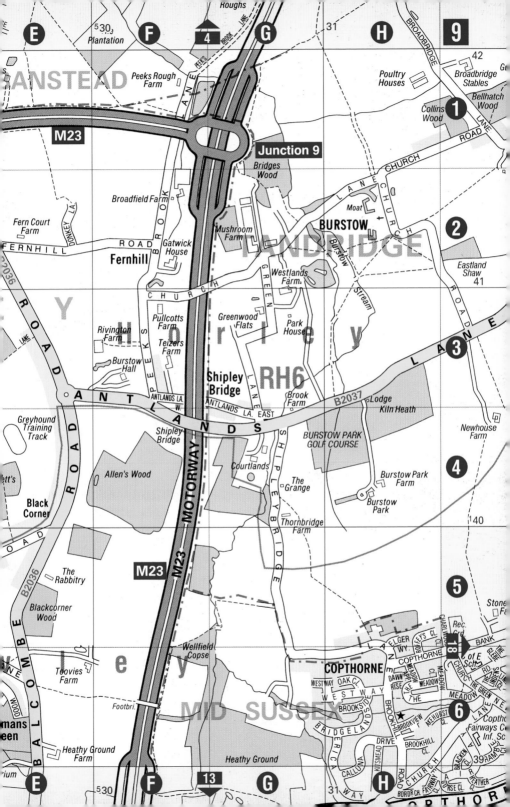

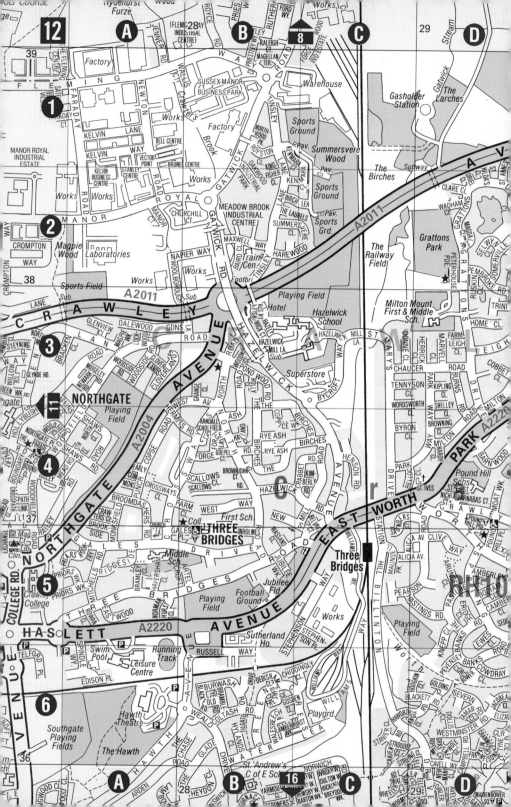

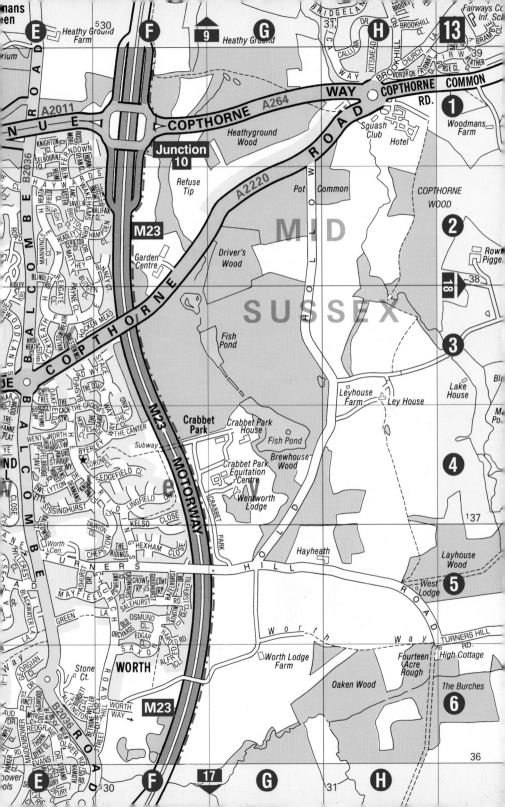

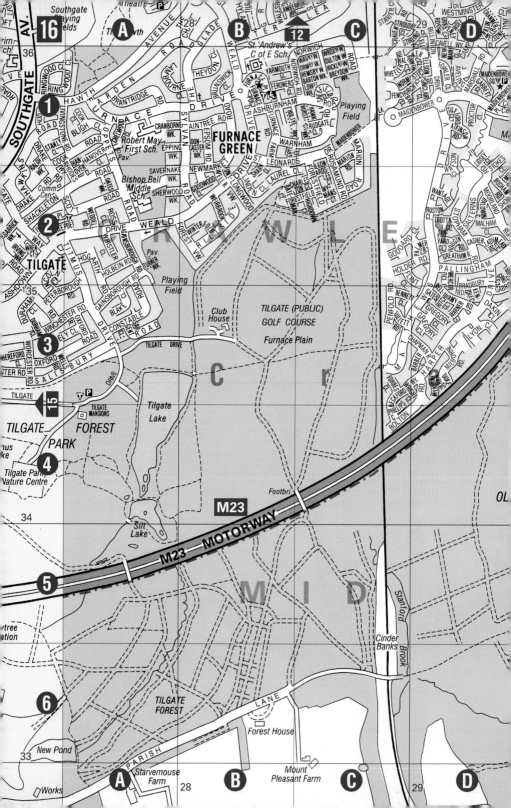

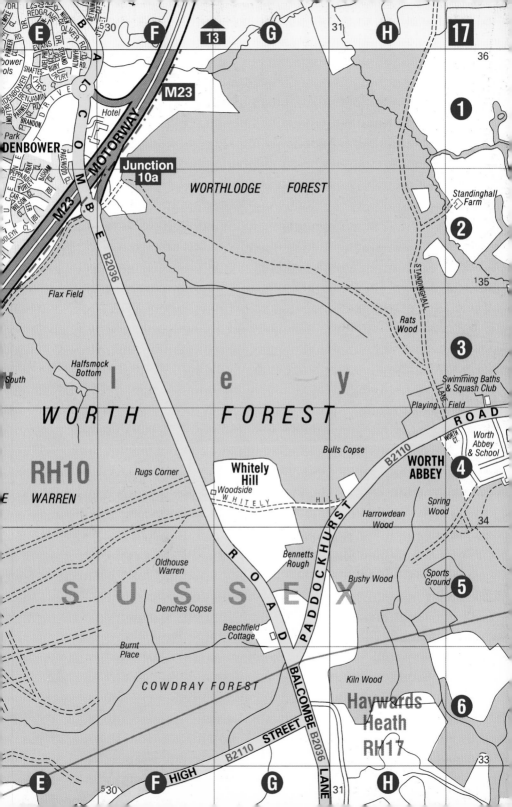

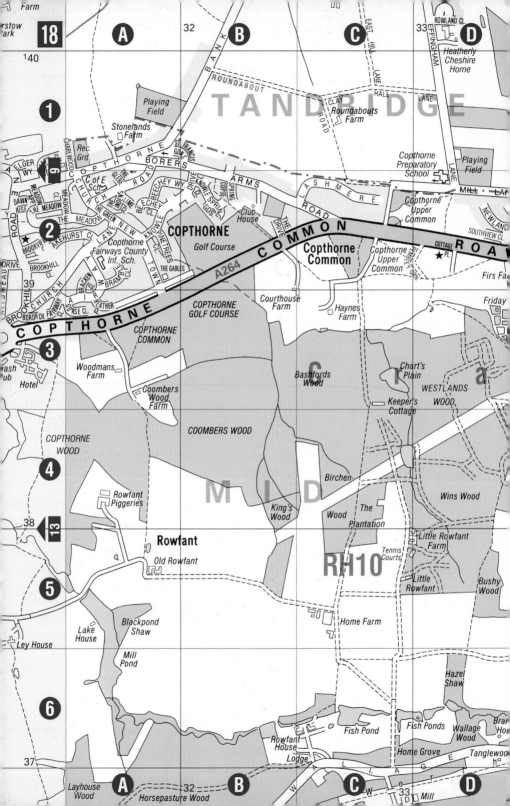

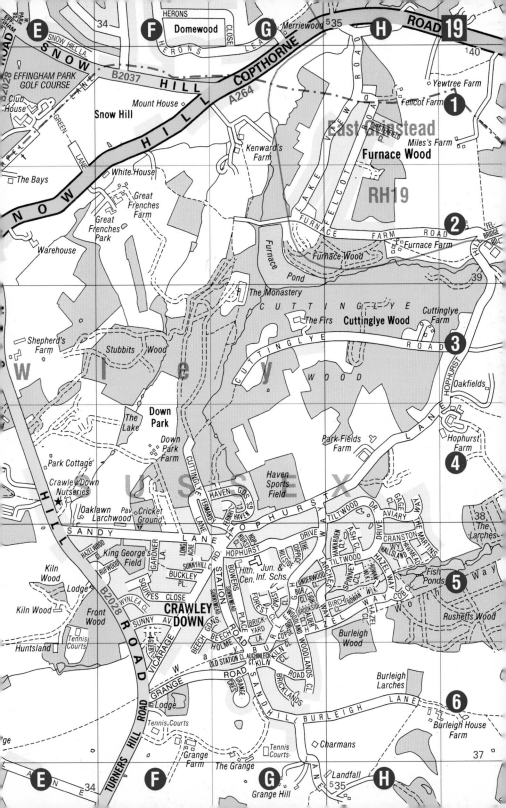

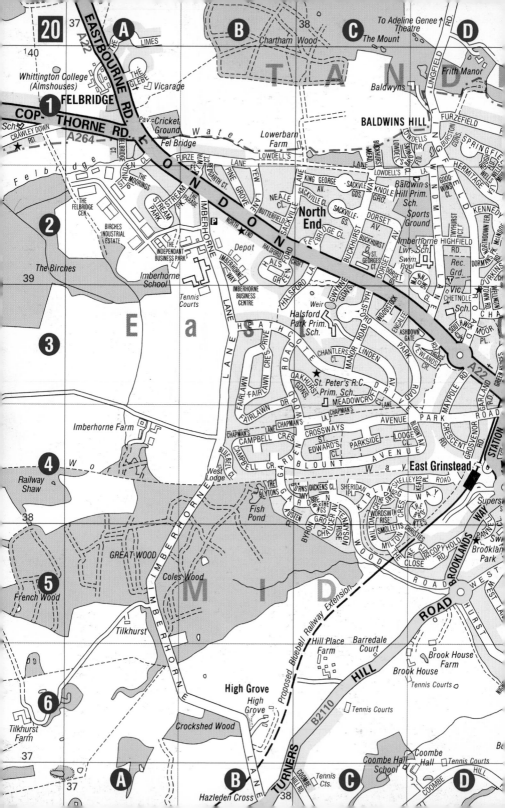

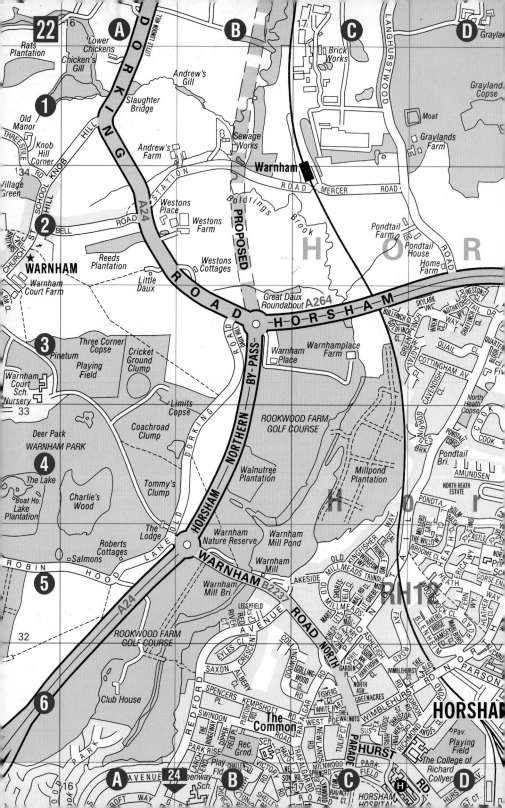

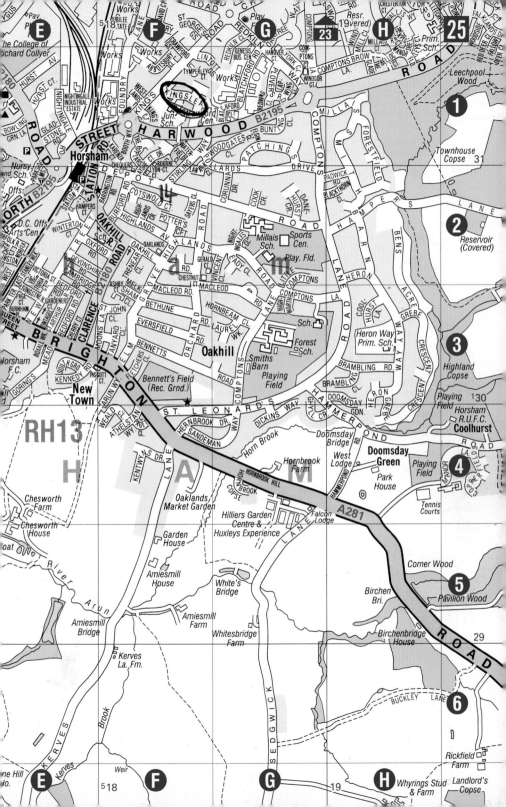

# INDEX TO STREETS
Including Industrial Estates and a selection of Subsidiary Addresses.

## HOW TO USE THIS INDEX

1. Each street name is followed by its Posttown or Postal Locality and then by its map reference;
e.g. Abbotsbury Clo. H'ham —1F **25** is in the Horsham Posttown and is to be found in square 1F on page **25**.
The page number being shown in bold type.
A strict alphabetical order is followed in which Av., Rd., St., etc. (though abbreviated) are read in full and as part of the street name; e.g. Beechside appears after Beech Rd. but before Beech Tree Clo.

2. Streets and a selection of Subsidiary names not shown on the Maps, appear in the index in *Italics* with the thoroughfare to which it is connected shown in brackets; e.g. *Abinger Keep. Horl —3H **3** (off Langshott La.)*

## GENERAL ABBREVIATIONS

| | | | |
|---|---|---|---|
| All : Alley | Clo : Close | Junct : Junction | Rd : Road |
| App : Approach | Comn : Common | La : Lane | Shop : Shopping |
| Arc : Arcade | Cotts : Cottages | Lit : Little | S : South |
| Av : Avenue | Ct : Court | Lwr : Lower | Sq : Square |
| Bk : Back | Cres : Crescent | Mnr : Manor | Sta : Station |
| Boulevd : Boulevard | Dri : Drive | Mans : Mansions | St : Street |
| Bri : Bridge | E : East | Mkt : Market | Ter : Terrace |
| B'way : Broadway | Embkmt : Embankment | M : Mews | Trad : Trading |
| Bldgs : Buildings | Est : Estate | Mt : Mount | Up : Upper |
| Bus : Business | Gdns : Gardens | N : North | Vs : Villas |
| Cvn : Caravan | Ga : Gate | Pal : Palace | Wlk : Walk |
| Cen : Centre | Gt : Great | Pde : Parade | W : West |
| Chu : Church | Grn : Green | Pk : Park | Yd : Yard |
| Chyd : Churchyard | Gro : Grove | Pas : Passage | |
| Circ : Circle | Ho : House | Pl : Place | |
| Cir : Circus | Ind : Industrial | Quad : Quadrant | |

## POSTTOWN AND POSTAL LOCALITY ABBREVIATIONS

| | | | |
|---|---|---|---|
| *Adgly* : Ardingly | *Craw* : Crawley | *H'ham* : Horsham | *Reig* : Reigate |
| *Ash W* : Ashurst Wood | *Craw D* : Crawley Down | *If'd* : Ifield | *Ship B* : Shipley Bridge |
| *Bar G* : Barns Green | *E Grin* : East Grinstead | *Gat A* : London Gatwick Airport | *Small* : Smallfield |
| *Bew* : Bewbush | *Fay* : Faygate | *Low H* : Lowfield Heath | *Tin G* : Tinsley Green |
| *Broad H* : Broadbridge Heath | *Felb* : Felbridge | *M'bowr* : Maidenbower | *Turn H* : Turners Hill |
| *Broadf* : Broadfield | *Gat* : Gatwick | *Out* : Outwood | *Warn* : Warnham |
| *Burs* : Burstow | *Hkwd* : Hookwood | *Peas P* : Pease Pottage | *Worth* : Worth |
| *Charl* : Charlwood | *Horl* : Horley | *P Hill* : Pound Hill | |
| *Copt* : Copthorne | *Horne* : Horne | *Red* : Redhill | |

## INDEX TO STREETS

Abbotsbury Clo. *H'ham*
—1F **25**
Abbotsfield Rd. *If'd* —1A **14**
*Abinger Keep. Horl —3H **3***
*(off Langshott La.)*
Abrahams Rd. *Craw* —4D **14**
Acorn Clo. *E Grin* —5E **21**
Acorn Clo. *Horl* —3H **3**
Acorns. *H'ham* —6G **23**
Acorns, The. *Craw* —4E **15**
Acorns, The. *Small* —4E **5**
Adamson Ct. *Craw* —4E **15**
Adelaide Clo. *Craw* —4E **15**
Adelaide Clo. *H'ham* —6F **23**
Adelphi Clo. *M'bowr* —1E **17**
Admiral Rd. *Craw* —2D **14**
Adrian Ct. *Craw* —4E **15**
Agate La. *H'ham* —5E **23**
Ailsa Clo. *Craw* —2E **15**
Aintree Rd. *Craw* —1B **16**
Airport Way. *Horl* —1B **8**
Akehurst Clo. *Copt* —6H **9**
Albany Rd. *Craw* —5E **11**
Alberta Dri. *Small* —4D **4**
Albert Crane Ct. *Craw* —3D **10**
Albert Rd. *Horl* —4F **3**
Albery Clo. *H'ham* —6B **22**

Albion Clo. *Craw* —6E **13**
Albion Way. *H'ham* —3C **24**
*Albury Keep. Horl —4G **3***
*(off Langshott La.)*
Alder Clo. *Craw D* —5G **19**
Alder Copse. *H'ham* —4A **24**
Alders Av. *E Grin* —2D **20**
Alders View Dri. *E Grin* —2E **21**
Aldingbourne Clo. *If'd* —4C **10**
Aldwych Clo. *M'bowr* —1E **17**
Alexandra Ct. *Craw* —6G **11**
Alfred Clo. *Worth* —6F **13**
Alicia Av. *Craw* —5C **12**
Allcard Clo. *H'ham* —6D **22**
Allcot Clo. *Craw* —2B **14**
Allingham Gdns. *H'ham*
—5H **23**
Allyington Way. *Worth* —6E **13**
Almond Clo. *Craw* —6D **10**
Alpha Rd. *Craw* —5F **11**
Amberley Clo. *Craw* —5D **12**
Amberley Clo. *H'ham* —4G **23**
Amberley Rd. *H'ham* —4G **23**
Ambleside Clo. *If'd* —6A **10**
Amundsen Rd. *H'ham* —4D **22**
Anchor Ct. *H'ham* —3D **24**
Andrews Rd. *E Grin* —4C **20**

Andromeda Clo. *Bew* —1B **14**
Angell Clo. *M'bowr* —6D **12**
Anglesey Clo. *Craw* —2F **15**
Angus Clo. *H'ham* —6D **22**
Antlands La. *Ship B* —3F **9**
Antlands La. E. *Horl* —3G **9**
Antlands La. W. *Horl* —3F **9**
Applefield. *Craw* —4H **11**
April Clo. *H'ham* —6C **22**
Apsley Ct. *Craw* —1C **14**
Aquarius Ct. *Craw* —1B **14**
Archers Ct. *Craw* —3G **11**
Arcturus Rd. *Craw* —2B **14**
Arden Rd. *Craw* —1A **16**
Ardingly Clo. *Craw* —3E **11**
Argus Wlk. *Craw* —2D **14**
Arne Clo. *Craw* —2C **14**
Arne Gro. *Horl* —2D **2**
Arnfield Clo. *If'd* —6B **10**
Arran Clo. *Craw* —2E **15**
Arrancourt. *H'ham* —2C **24**
Artel Croft. *Craw* —5B **12**
Arthur Rd. *H'ham* —3E **25**
Arthur Rd. *If'd* —5B **10**
Arundel Clo. *Craw* —5D **12**
Arunside. *H'ham* —3B **24**
Arun Way. *H'ham* —3F **25**

Ashburnham Rd. *Craw* —1B **16**
Ashby Ct. *H'ham* —2F **25**
Ash Clo. *Craw D* —5H **19**
Ashdown Dri. *Craw* —2G **15**
Ashdown Ga. *E Grin* —3D **20**
Ashdown View. *E Grin* —6E **21**
*Ashington Ct. H'ham —5D **22***
*(off Woodstock Clo.)*
Ash Keys. *Craw* —6H **11**
Ashleigh Clo. *Horl* —4E **3**
Ashleigh Rd. *H'ham* —5C **22**
Ashmore Ho. *Craw* —2G **11**
Ash Rd. *Craw* —4B **12**
Ashurst Clo. *H'ham* —5G **23**
Ashurst Dri. *Craw* —5E **13**
Ashwood. *Craw* —6G **11**
Aspen Way. *H'ham* —6E **23**
Aston Ct. *Craw* —4E **15**
Athelstan Clo. *Worth* —5F **13**
Athelstan Way. *H'ham* —4F **25**
Atkinson Ct. *Horl* —5G **3**
Atkinson Rd. *M'bowr* —1D **16**
Attlee Ho. *Craw* —3E **15**
Auchinleck Ct. *Craw D* —6G **19**
Auckland Clo. *Craw* —2G **11**
Aurum Clo. *Horl* —5G **3**
Austen Clo. *E Grin* —4B **20**

Avebury Ct. *H'ham* —3G **23**
Aveling Clo. *M'bowr* —1D **16**
Avenue Gdns. *Horl* —5H **3**
Avenue, The. *Craw* —4H **15**
Avenue, The. *Horl* —5E **3**
Avenue, The. *H'ham* —6A **24**
Aviary Way. *Craw D* —4H **19**
Avondale Clo. *Horl* —2F **3**
Avon Wlk. *Craw* —6C **10**
Ayshe Ct. Dri. *H'ham* —1F **25**

**B**aden Dri. *Horl* —3D **2**
Badgers Clo. *H'ham* —4F **23**
Badger's Way. *E Grin* —3F **21**
Bailey Clo. *H'ham* —3F **23**
Baird Clo. *Craw* —2B **12**
Bakehouse Barn Clo. *H'ham*
—3E **23**
Bakehouse Rd. *Horl* —2F **3**
Baker Clo. *Craw* —1G **15**
Balcombe Ct. *Craw* —4E **13**
Balcombe Gdns. *Horl* —5H **3**
Balcombe La. *Adgly* —6G **17**
Balcombe Rd. *Horl & Craw*
—3G **3**
Baldwin Clo. *M'bowr* —2D **16**
Baldwins Field. *E Grin* —1C **20**
Balliol Clo. *Craw* —2D **12**
Balmoral. *E Grin* —5G **21**
Balmoral Ct. *Craw* —3F **15**
Bancroft Rd. *Craw* —6E **13**
Bank La. *Craw* —5G **11**
Banks Rd. *Craw* —5D **12**
Barber Clo. *M'bowr* —3D **16**
Barley Clo. *Craw* —6G **11**
Barleycorn Meadow. *Horl*
—3G **3**
Barleymead. *Horl* —3G **3**
Barlow Rd. *Craw* —2B **14**
Barn Clo. *Peas P* —6E **15**
Barnfield. *Horl* —5F **3**
Barnfield Rd. *Craw* —4G **11**
Barnsnap Clo. *H'ham* —4D **22**
Barnwood. *Craw* —4D **12**
Barrackfield Wlk. *H'ham*
—4C **24**
Barrington Rd. *Craw* —1G **15**
Barrington Rd. *H'ham* —2F **25**
Barry Clo. *Craw* —2H **15**
Bartholomew Way. *H'ham*
—4G **23**
Barton Cres. *E Grin* —5G **21**
Barton Wlk. *Craw* —1C **16**
Barttelot Rd. *H'ham* —3E **25**
Bashford Way. *Worth* —3E **13**
Basildon Way. *Bew* —2B **14**
Bassett Rd. *M'bowr* —2E **17**
Bateman Ct. *Craw* —2B **16**
Baxter Clo. *M'bowr* —1C **16**
Bay Clo. *Horl* —2D **2**
Bayfield Rd. *Horl* —3D **2**
Bayhorne La. *Horl* —6H **3**
Baylis Wlk. *Craw* —4E **15**
Beachy Rd. *Craw* —4D **14**
Beale Ct. *Craw* —2D **14**
Beaumont Clo. *If'd* —4D **14**
Beaver Clo. *H'ham* —4E **23**
Beckett La. *Craw* —2G **11**
Beckett Way. *E Grin* —5F **21**

Beckford Way. *M'bowr* —3C **16**
Bedale Clo. *Craw* —1F **15**
Bedford Rd. *H'ham* —3E **25**
Beech Clo. *E Grin* —3D **20**
Beeches Cres. *Craw* —1H **15**
Beechey Clo. *Copt* —2A **18**
Beechey Way. *Copt* —2A **18**
Beech Fields. *E Grin* —2F **21**
Beech Gdns. *Craw D* —5F **19**
Beech Holme. *Craw D* —5G **19**
Beeching Way. *E Grin* —4D **20**
Beech Rd. *H'ham* —5H **23**
Beechside. *Craw* —6H **11**
Beech Tree Clo. *Craw* —4G **11**
Beeding Clo. *H'ham* —5G **23**
Beehive Ring Rd. *Gat A* —4C **8**
Beggarshouse La. *Dork & Horl*
—1A **6**
Behenna Clo. *Bew* —6B **10**
Belgravia Ct. *Horl* —4G **3**
(off St Georges Clo.)
Bellamy Rd. *M'bowr* —3D **16**
Bell Cen. *Craw* —1A **12**
Bell Hammer. *E Grin* —5E **21**
Belloc Clo. *Craw* —4C **12**
Belloc Ct. *H'ham* —1H **25**
Bell Rd. *Warn* —2A **22**
Belvedere Ct. *Craw* —4C **12**
Benchfield Clo. *E Grin* —5H **21**
Benhams Clo. *Horl* —2F **3**
Benhams Dri. *Horl* —2F **3**
Benjamin Rd. *M'bowr* —1E **17**
Bennett Clo. *M'bowr* —3C **16**
Bennetts Rd. *H'ham* —3F **25**
Bens Acre. *H'ham* —2H **25**
Berkeley Clo. *Craw* —3A **14**
Berrymeade Wlk. *If'd* —6B **10**
Berstead Wlk. *Craw* —2C **14**
Betchley Clo. *E Grin* —2E **21**
Bethune Clo. *Worth* —6E **13**
Bethune Rd. *H'ham* —3F **25**
Betts Way. *Craw* —1G **11**
Beulah Ct. *Horl* —4F **3**
Bevan Ct. *Craw* —4E **15**
Bewbush Dri. *Craw* —2B **14**
Bewbush Pl. *Craw* —2C **14**
Bickley Ct. *Craw* —2D **14**
Biggin Clo. *Craw* —1F **15**
Bignor Clo. *H'ham* —3G **23**
Bilberry Clo. *Craw* —2E **15**
Bilbets. *H'ham* —1D **24**
Billinton Dri. *M'bowr* —5C **12**
Binney Ct. *Craw* —2F **13**
Binstead Clo. *Craw* —3E **11**
Birch Clo. *Craw D* —5H **19**
Birches Ind. Est. *E Grin*
—2A **20**
Birches Rd. *H'ham* —5H **23**
Birches, The. *Craw* —4B **12**
Birchfield Pk. Ind. Est. *Charl*
—5A **6**
Birch Lea. *Craw* —2B **12**
Birchwood Clo. *Horl* —3G **3**
Birchwood Clo. *M'bowr*
—2D **16**
Birdham Clo. *Craw* —3E **11**
Birkdale Dri. *If'd* —6A **10**
Bisham Clo. *M'bowr* —2E **17**
Bishopric. *H'ham* —2C **24**
Bishopric Ct. *H'ham* —2C **24**

Bishops Ct. *H'ham* —3D **24**
Bishopstone Wlk. *Craw*
—4F **15**
Bitmead Clo. *If'd* —6B **10**
Bittern Clo. *If'd* —6A **10**
Blackbridge Ct. *H'ham* —2C **24**
Blackbridge La. *H'ham* —3B **24**
Blackcap Clo. *Craw* —1F **15**
Black Dog Wlk. *Craw* —3H **11**
Blackett Rd. *M'bowr* —6D **12**
Blackfold Rd. *Craw* —6B **12**
Blackheath. *Craw* —3E **13**
Blackhorse Way. *H'ham*
—2C **24**
Black Swan Clo. *Peas P*
—6E **15**
Blackthorn Clo. *Craw* —3F **11**
Blackthorn Clo. *H'ham* —2C **24**
Blackwater La. *Craw* —5E **13**
Blackwell Farm Rd. *E Grin*
—2F **21**
Blackwell Hollow. *E Grin*
—3F **21**
Blackwell Rd. *E Grin* —3F **21**
Blake Clo. *Craw* —3A **16**
Blatchford Clo. *H'ham* —1G **25**
Blatchford Rd. *H'ham* —1G **25**
Blenheim Clo. *Craw* —2E **13**
Blenheim Clo. *E Grin* —2G **21**
Blenheim Rd. *H'ham* —5D **22**
Bligh Clo. *Craw* —1A **16**
Blindley Rd. *Craw* —2E **13**
Bloor Clo. *H'ham* —3E **23**
Blount Av. *E Grin* —4C **20**
Bluebell Clo. *Craw* —2E **15**
Bluebell Clo. *E Grin* —4B **20**
Bluebell Clo. *H'ham* —5E **23**
Blundell Av. *Horl* —3E **3**
Blunts Way. *H'ham* —1D **24**
Blytons, The. *E Grin* —4B **20**
Bodiam Clo. *Craw* —5D **12**
Boleyn Clo. *M'bowr* —2E **17**
Bolney Ct. *Craw* —2C **14**
Bolters Rd. *Horl* —2F **3**
Bolters Rd. S. *Horl* —2E **3**
Bolton Rd. *M'bowr* —4C **16**
Bonehurst Rd. *Salf & Horl*
—1F **3**
Bonnetts La. *If'd* —1D **10**
Booth Rd. *Craw* —2B **14**
Booth Way. *H'ham* —1F **25**
Borage Clo. *Craw* —2D **14**
Border Chase. *Copt* —1H **13**
Borers Arms Rd. *Copt* —1A **18**
Borrowdale Clo. *Craw* —1E **15**
Bosham Rd. *M'bowr* —3D **16**
Bostock Av. *H'ham* —5G **23**
Boswell Rd. *Craw* —2H **15**
Boulevard, The. *Craw* —5H **11**
(in two parts)
Boundary Clo. *Craw* —4H **11**
Boundary Rd. *Craw* —4H **11**
Bourg-de-Peage Av. *E Grin*
—4G **21**
Bourns Ct. *H'ham* —1F **25**
Bowater Rd. *M'bowr* —2D **16**
Bowers Pl. *Craw D* —5G **19**
Bower, The. *Craw* —6D **12**
Bowling Grn. La. *H'ham*
—1E **25**

Bowman Ct. *Craw* —4G **11**
(off London Rd.)
Bowness Clo. *If'd* —6A **10**
Boxall Wlk. *H'ham* —3D **24**
Box Clo. *Craw* —4F **15**
Bracken Clo. *Copt* —2A **18**
Bracken Clo. *Craw* —3H **11**
Bracken Gro. *H'ham* —5H **23**
Brackenside. *Horl* —3G **3**
Bracknell Wlk. *Bew* —3B **14**
Bradbury Rd. *M'bowr* —2D **16**
Bramber Clo. *Craw* —3H **11**
Bramber Clo. *H'ham* —5H **23**
Bramble Clo. *Copt* —2A **18**
Bramble Twitten. *E Grin*
—4G **21**
Brambletye Rd. *Craw* —6B **12**
Brambling Clo. *H'ham* —3H **25**
Brambling Rd. *H'ham* —3H **25**
Bramley Clo. *Craw* —5A **12**
Bramley Wlk. *Horl* —4H **3**
Brandon Clo. *M'bowr* —1E **17**
Brantridge Rd. *Craw* —1A **16**
Bray Clo. *M'bowr* —2E **17**
Breezehurst Dri. *Craw* —2B **14**
Bremner Av. *Horl* —3E **3**
Brettingham Clo. *Craw* —2B **14**
Brewer Rd. *Craw* —1H **15**
Breydon Wlk. *Craw* —1C **16**
Briar Clo. *Craw* —2F **11**
Briars Wood. *Horl* —3H **3**
Briarswood Clo. *Craw* —3E **13**
Bricklands. *Craw D* —6G **19**
Brickyard La. *Craw D* —5G **19**
Brideake Clo. *Craw* —2D **14**
Bridgeham Way. *Small* —5E **5**
Bridge Ind. Est. *Horl* —4G **3**
Bridgelands. *Copt* —6H **9**
Bridges Ct. *H'ham* —5G **23**
Bridle Way. *Craw* —4E **13**
Brighton Rd. *Horl* —5E **3**
Brighton Rd. *H'ham* —3E **25**
Brighton Rd. *Peas P & Craw*
—6F **15**
Brisbane Clo. *Craw* —2G **11**
Bristol Clo. *Craw* —2E **13**
Britten Clo. *Craw* —2C **14**
Britten Clo. *H'ham* —6H **23**
Broadbridge Cotts. *Horl* —6D **4**
Broadbridge Heath By-Pass.
*H'ham* —1A **24**
Broadbridge La. *Small* —4D **4**
Broadfield Barton. *Craw*
—3E **15**
Broadfield Dri. *Craw* —2E **15**
Broadfield Pk. *Peas P* —3G **15**
Broadfield Pl. *Craw* —3E **15**
Broadlands. *Horl* —3H **3**
Broadmead. *Horl* —3H **3**
Broad Wlk. *Craw* —5G **11**
Broadway, The. *Craw* —5G **11**
Broadwood Clo. *H'ham*
—5G **23**
Broadwood Rise. *Broadf*
—4D **14**
Brockham Keep. *Horl* —3H **3**
(off Langshott La.)
Brockhurst Clo. *H'ham* —3A **25**
Brock Rd. *Craw* —2E **11**
Brontes, The. *E Grin* —4D **20**

# Brook Clo.—Cobnor Clo.

Brook Clo. *E Grin* —4H **21**
Brookhill Clo. *Copt* —6H **9**
Brookhill Rd. *Copt* —1H **13**
Brooklands Rd. *Craw* —4F **15**
Brooklands Way. *E Grin*
          —5D **20**
Brook Rd. *H'ham* —4E **23**
Brookside. *Copt* —6H **9**
Brookside. *Craw* —4A **12**
Brookside. *Craw D* —5G **19**
Brookview. *Copt* —6H **9**
Brookwood. *Horl* —3G **3**
Broomdashers Rd. *Craw*
          —4A **12**
Broome Clo. *H'ham* —5D **22**
Browning Clo. *Craw* —4D **12**
Brownings, The. *E Grin*
          —4C **20**
Brownjohn Ct. *Craw* —4B **12**
Browns Wood. *E Grin* —1E **21**
Brunel Cen. *Craw* —1A **12**
Brunel Pl. *Craw* —6H **11**
Brunswick Clo. *Craw* —1B **16**
Brunswick Ct. *Craw* —1B **16**
(off Brunswick Clo.)
Brushwood Rd. *H'ham* —4H **23**
Bryce Clo. *H'ham* —5G **23**
Buchan Pk. *Craw* —3C **14**
Buchans Lawn. *Craw* —3E **15**
Buckhurst Clo. *E Grin* —2C **20**
Buckhurst Mead. *E Grin*
          —1C **20**
Buckhurst Way. *E Grin* —2C **20**
Buckingham Ct. *Craw* —3E **15**
Buckingham Dri. *E Grin*
          —5G **21**
Buckingham Ga. *Gat A* —2D **8**
Buckley La. *H'ham* —6H **25**
Buckley Pl. *Craw D* —5F **19**
Buckmans Rd. *Craw* —4G **11**
Buckswood Dri. *Craw* —1D **14**
Budgen Clo. *Craw* —2E **13**
Bullfinch Clo. *Horl* —3D **2**
Bullfinch Clo. *H'ham* —3C **22**
Bunting Clo. *H'ham* —1G **25**
Bunyan Clo. *Craw* —2B **14**
Burbeach Clo. *Craw* —2E **15**
Burdett Clo. *Worth* —6E **13**
Burdock Clo. *Craw* —3D **14**
Burford Rd. *H'ham* —2F **25**
Burgh Clo. *Craw* —2E **13**
Burlands. *Craw* —2D **10**
Burleigh Clo. *Craw D* —5G **19**
Burleigh La. *Craw D* —6G **19**
Burleigh Way. *Craw D* —5G **19**
Burleys Rd. *Craw* —5D **12**
Burney Ct. *Craw* —2D **14**
Burnham Pl. *H'ham* —3E **25**
Burns Clo. *H'ham* —3E **23**
Burns Rd. *Craw* —3D **12**
Burns Way. *E Grin* —4C **20**
Burns Way. *Fay* —4A **14**
Burrell Ct. *Craw* —1C **14**
Burston Gdns. *E Grin* —1D **20**
Burton Clo. *Horl* —5F **3**
Burtons Ct. *H'ham* —2D **24**
Burwash Rd. *Craw* —6B **12**
Bush La. *H'ham* —2G **23**
Butlers Rd. *H'ham* —6G **23**
Butterfield. *E Grin* —2B **20**

Buttermere Clo. *H'ham*
          —4H **23**
Butts Clo. *Craw* —4E **11**
Bycroft Way. *Craw* —3C **12**
Byerley Way. *Craw* —4E **13**
Byrd Rd. *Craw* —2C **14**
Byron Clo. *Craw* —4C **12**
Byron Clo. *H'ham* —4E **23**
Byron Gro. *E Grin* —4C **20**

## C

Caburn Ct. *Craw* —1F **15**
Caburn Heights. *Craw* —1F **15**
Cackstones, The. *Worth*
          —4E **13**
Caffins Clo. *Craw* —3H **11**
Caldbeck Ho. *Craw* —2C **14**
Calderdale Clo. *Craw* —1E **15**
Caledonian Way. *Horl* —2C **8**
Callisto Clo. *Craw* —2B **14**
Calluna Dri. *Copt* —1H **13**
Calvin Wlk. *Craw* —2B **14**
Camber Clo. *Craw* —5D **12**
Cambridge Lodge Cvn. Pk.
      *Horl* —1F **3**
Cambridge Rd. *H'ham* —2E **25**
Camelot Ct. *If'd* —5B **10**
Campbell Cres. *E Grin* —4B **20**
Campbell Rd. *M'bowr* —6D **12**
Campion Rd. *H'ham* —5E **23**
Canberra Clo. *Craw* —2G **11**
Canberra Pl. *H'ham* —5F **23**
Cantelupe Rd. *E Grin* —4F **21**
Canterbury Rd. *Craw* —3H **15**
Canter, The. *Craw* —4F **13**
Canvey Clo. *Craw* —2F **15**
Capel La. *Craw* —6C **10**
Capricorn Clo. *Craw* —1B **14**
Capsey Rd. *If'd* —5B **10**
Caraway Clo. *Craw* —3E **15**
Carey Ho. *Craw* —5F **11**
Carey's Wood. *Small* —4E **5**
Carfax. *H'ham* —2D **24**
Cargo Forecourt Rd. *Horl*
          —2G **7**
Cargo Rd. *Horl* —1G **7**
Carlton Clo. *Craw* —6H **11**
Carlton Ct. *Horl* —2F **3**
Carlton Tye. *Horl* —4H **3**
Carman Wlk. *Craw* —4E **15**
Caroline Ct. *Craw* —6G **11**
Carter Rd. *M'bowr* —2E **17**
Cartersmeade Clo. *Horl* —3G **3**
Casher Rd. *M'bowr* —2D **16**
Castle Dri. *Horl* —5H **3**
Castle, The. *H'ham* —3E **23**
Caterways. *H'ham* —1B **24**
Causeway, The. *H'ham*
          —3D **24**
Cavalier Way. *E Grin* —6F **21**
Cavell Way. *M'bowr* —6D **12**
Cavendish Clo. *H'ham* —3D **22**
Caxton Clo. *Craw* —2G **15**
Cedar Clo. *Craw* —2F **11**
Cedar Clo. *H'ham* —1D **24**
Celandine Clo. *Craw* —2E **15**
Central Pde. *Horl* —5F **3**
Chadwick Clo. *Craw* —4E **15**
Chaffinch Clo. *H'ham* —3D **22**

Chaffinch Way. *Horl* —3D **2**
Chailey Clo. *Craw* —2D **14**
Chaldon Rd. *Craw* —4F **15**
Challen Ct. *H'ham* —1C **24**
Chalmers Clo. *Charl* —3B **6**
Chanctonbury Way. *Craw*
          —1F **15**
Chandler Clo. *Craw* —1G **15**
Chantlers Clo. *E Grin* —3C **20**
Chantrey Rd. *Craw* —2H **15**
Chantry Clo. *Horl* —3E **3**
Chapel La. *Craw D* —1E **19**
Chapel Rd. *Charl* —2B **6**
Chapel Rd. *Small* —4E **5**
Chapman Rd. *M'bowr* —3C **16**
Chapman's La. *E Grin* —4B **20**
Charlesfield Rd. *Horl* —3E **3**
Charleston Ct. *Craw* —2C **16**
Charlock Clo. *Craw* —3D **14**
Charlotte Ct. *Craw* —5F **11**
(off Leopold Rd.)
Charlotte Gro. *Small* —3D **4**
Charlwood Bus. Pk. *E Grin*
          —2D **20**
Charlwood Clo. *Copt* —1A **18**
Charlwood M. *Horl* —2B **6**
Charlwood Rd. *Horl* —1F **7**
Charlwood Rd. *If'd* —6B **6**
Charlwood Rd. *Low H* —5E **7**
Charlwoods Av. *E Grin* —2E **21**
Charlwoods Pl. *E Grin* —2E **21**
Charlwoods Rd. *E Grin* —3D **20**
Charlwood Wlk. *Craw* —2E **11**
Charmans Clo. *H'ham* —5H **23**
Charm Clo. *Horl* —3D **2**
Chart Way. *H'ham* —2D **24**
Chase, The. *Craw* —6B **12**
Chatelet Clo. *Horl* —3G **3**
Chatfields. *Craw* —1E **15**
Chaucer Av. *E Grin* —4C **20**
Chaucer Rd. *Craw* —3C **12**
Chelwood Clo. *Craw* —1A **16**
Chennells Way. *H'ham* —5D **22**
Chepstow Clo. *Craw* —5F **13**
Chequer Rd. *E Grin* —4F **21**
Chequers Clo. *Horl* —3F **3**
Chequers Ct. *H'ham* —1F **25**
Chequers Dri. *Horl* —3F **3**
Cherry Ct. *H'ham* —3E **25**
Cherry La. *Craw* —2F **11**
Cherry Tree Clo. *Worth* —3E **13**
Cherry Tree Wlk. *H'ham*
          —4H **23**
Cherwell Wlk. *Craw* —6C **10**
Chesterfield Clo. *Felb* —1H **19**
Chesters. *Horl* —2D **2**
Chesterton Clo. *E Grin* —6F **21**
Chesterton Ct. *H'ham* —6G **23**
Chestnut Clo. *E Grin* —4G **21**
Chestnut Ct. *H'ham* —2F **25**
Chestnut Gdns. *H'ham* —5C **22**
Chestnut Rd. *Horl* —2G **3**
Chestnuts, The. *Horl* —2G **3**
Chestnut Wlk. *Craw* —2F **11**
Chesworth Clo. *H'ham* —4D **24**
Chesworth Cres. *H'ham*
          —3D **24**
Chesworth Gdns. *H'ham*
          —3D **24**
Chesworth La. *H'ham* —3D **24**

Chetnole. *E Grin* —3D **20**
Chetwood Rd. *Craw* —3A **14**
Chevening Clo. *Craw* —4F **15**
Cheviot Wlk. *Craw* —5E **11**
Cheynell Wlk. *Craw* —1C **14**
Cheyne Wlk. *Horl* —6E **3**
Chichester Clo. *Craw* —3H **15**
Chichester Rd. *H'ham* —2E **25**
Chiddingly Clo. *Craw* —6C **12**
Chiltern Clo. *Craw* —5E **11**
Chippendale Rd. *Craw* —4E **15**
Chithurst La. *Horne* —4H **5**
Christies. *E Grin* —5D **20**
Christopher Rd. *E Grin* —4E **21**
Church Cotts. *Craw* —3C **10**
(off Ifield St.)
Churchill Av. *H'ham* —1C **24**
Churchill Ct. *Craw* —2B **12**
Churchill Rd. *Small* —4E **5**
Church La. *Burs* —3F **9**
Church La. *Copt* —1H **13**
Church La. *Craw* —4A **12**
Church La. *E Grin* —4F **21**
Church Rd. *Burs* —2H **9**
Church Rd. *Copt* —2A **18**
Church Rd. *Horl* —5E **3**
(in two parts)
Church Rd. *Horne* —1H **5**
Church Rd. *H'ham* —5H **23**
Church Rd. *Low H* —4H **7**
Church Rd. *Worth* —5F **13**
Church Rd. Ind. Est. *Low H*
          —4A **8**
Church Rd. Trad. Est. *Low H*
          —4H **7**
Church St. *Craw* —5F **11**
Church St. *Warn* —2A **22**
Churchview Clo. *Horl* —5E **3**
Church Wlk. *Craw* —5G **11**
Church Wlk. *Horl* —5E **3**
Cissbury Clo. *H'ham* —4G **23**
Cissbury Hill. *Craw* —1F **15**
Clappers Ga. *Craw* —4G **11**
Clare Clo. *Craw* —2D **12**
Clarence Ct. *Horl* —3A **4**
Clarence Dri. *E Grin* —6F **21**
Clarence Rd. *H'ham* —3E **25**
Clarence Way. *Horl* —3A **4**
Clark Rd. *Craw* —4D **14**
Clay Hall La. *Copt* —1C **18**
Clays Clo. *E Grin* —5E **21**
Clayton Hill. *Craw* —1F **15**
Clifton Rd. *Craw* —6D **12**
Climping Rd. *Craw* —3E **11**
Clitherow Gdns. *Craw* —6H **11**
Clive Way. *Craw* —5D **12**
Close, The. *E Grin* —5D **20**
Close, The. *Horl* —6H **3**
Cloverfields. *Horl* —3G **3**
Cloverlands. *Craw* —3A **12**
Clovers End. *H'ham* —5G **23**
Clover Way. *Small* —4F **5**
Coachman's Dri. *Craw* —3E **15**
Coach Rd. *Horl* —2C **8**
(off Ring Rd. S.)
Cobbett Clo. *Craw* —3D **12**
Cobbles Cres. *Craw* —4H **11**
Cob Clo. *Craw D* —5H **19**
Cobham Way. *Craw* —5C **8**
Cobnor Clo. *Craw* —1C **14**

# Dyers Almhouses—Glebe, The

Dyers Almhouses. *Craw*
—4G **11**
Dyers Field. *Small* —4E **5**
Dyson Wlk. *Craw* —4E **15**

**E**ady Clo. *H'ham* —2G **25**
Earles Meadow. *H'ham*
—4G **23**
Earlswood Clo. *H'ham* —6F **23**
Early Commons. *Craw* —4A **12**
(in two parts)
Eastbourne Rd. *Felb* —1A **20**
Eastcroft M. *H'ham* —3A **24**
E. Hill La. *Copt* —1C **18**
East M. *H'ham* —2D **24**
East Pk. *Craw* —6G **11**
East St. *H'ham* —3D **24**
Eastway. *Horl* —2C **8**
*Eastway E. Horl* —2C **8**
(off Eastway)
Eastwood. *Craw* —5A **12**
Eddington Hill. *Craw* —4E **15**
Eden Rd. *Craw* —1C **14**
Eden Vale. *E Grin* —1D **20**
Edgar Clo. *Worth* —5F **13**
Edinburgh Way. *E Grin* —6F **21**
Edison Pl. *Craw* —6A **12**
Edrich Rd. *Broadf* —4D **14**
Effingham Rd. *Burs & Craw*
—1E **19**
Effingham La. *Copt* —1D **18**
Elgar Way. *H'ham* —6H **23**
Elger Way. *Copt* —5H **9**
Elgin Clo. *H'ham* —1G **25**
Elizabethan Way. *Craw* —6D **12**
Elizabeth Ct. *Horl* —4F **3**
Elizabeth Cres. *E Grin* —2F **21**
Elliot Clo. *M'bowr* —6D **12**
Ellman Rd. *Craw* —1C **14**
Ellson Clo. *M'bowr* —1D **16**
Ellwood Pl. *Craw* —5C **10**
Elm Dri. *E Grin* —4G **21**
Elm Gro. *H'ham* —3F **25**
Elm Tree Clo. *Horl* —3F **3**
Elsted Clo. *Craw* —3E **11**
Ely Clo. *Craw* —3A **16**
Emberwood. *Craw* —3F **11**
Emlyn Rd. *Horl* —3D **2**
Emsworth Clo. *M'bowr*
—2D **16**
Enfield Rd. *Craw* —3E **15**
Engalee. *E Grin* —3C **20**
Englefield. *H'ham* —2A **24**
Ennerdale Clo. *Craw* —1E **15**
Enterprise Ho. *H'ham* —3C **24**
Epping Wlk. *Craw* —1A **16**
Epsom Rd. *Craw* —1B **16**
Erica Way. *Copt* —6H **9**
Erica Way. *H'ham* —5D **22**
Eridge Clo. *Craw* —5D **12**
Erskine Clo. *Craw* —3B **14**
Estcots Dri. *E Grin* —4F **21**
Evans Clo. *Craw* —1E **17**
Evelyn Wlk. *Craw* —2H **15**
Eversfield Rd. *H'ham* —3F **25**
Ewelands. *Horl* —3H **3**
Ewhurst Clo. *Craw* —5F **11**
Ewhurst Rd. *Craw* —5E **11**
Excalibur Clo. *If'd* —5B **10**

Exchange Rd. *Craw* —5H **11**
Exeter Clo. *Craw* —3H **15**
Eyles Clo. *H'ham* —6B **22**

**F**airfield Av. *Horl* —5F **3**
Fairfield Rd. *E Grin* —5F **21**
Fairlawn Cres. *E Grin* —3B **20**
Fairlawn Dri. *E Grin* —3B **20**
Fairlawns. *Horl* —5G **3**
Fairstone Ct. *Horl* —3G **3**
Fair View. *H'ham* —1B **24**
Fairway. *Copt* —3A **18**
Fairway. *If'd* —6A **10**
Fairway Clo. *Copt* —1H **13**
Falcon Clo. *Craw* —3G **11**
Falcon Lodge. *H'ham* —4G **25**
Falklands Dri. *H'ham* —6H **23**
Fallow Deer Clo. *H'ham*
—1H **25**
Fallowfield Way. *Horl* —3G **3**
Falmer Clo. *Craw* —1G **15**
Faraday Av. *E Grin* —6F **21**
Faraday Ct. *Craw* —1H **11**
Faraday Rd. *Craw* —1A **12**
Farebrothers. *Warn* —2A **22**
Farhalls Cres. *H'ham* —5F **23**
Farm Av. *H'ham* —1C **24**
Farm Clo. *Craw* —4B **12**
Farm Clo. *E Grin* —5H **21**
Farm Clo. *Warn* —3A **22**
Farmfield Cotts. *Horl* —2E **7**
Farmfield Dri. *Horl* —1E **7**
Farmleigh Clo. *Craw* —3D **12**
Farm Wlk. *Horl* —4E **3**
Farnham Clo. *Craw* —5F **15**
Farthings Hill. *H'ham* —1A **24**
Fay Rd. *H'ham* —5C **22**
Felbridge Av. *Craw* —4E **13**
Felbridge Cen., The. *E Grin*
—2A **20**
Felbridge Clo. *E Grin* —2C **20**
Felbridge Ct. *Felb* —1A **20**
Felbridge Rd. *E Grin* —2H **19**
Felcot Rd. *Felb* —2H **19**
Fellcott Way. *H'ham* —3A **24**
Felwater Ct. *E Grin* —2B **20**
Fenby Clo. *H'ham* —6H **23**
Fenchurch Rd. *M'bowr* —1C **16**
Fender Ho. *H'ham* —2C **24**
Fenhurst Clo. *H'ham* —3A **24**
Fennel Cres. *Craw* —3E **15**
Fermandy La. *Craw D* —4F **19**
Ferndown. *Craw* —1E **13**
Ferndown. *Horl* —2F **3**
Fernhill Clo. *Craw D* —4G **19**
Fernhill Rd. *Horl* —2E **9**
Fernhurst Clo. *Craw* —3E **11**
Fern Way. *H'ham* —5D **22**
Feroners Clo. *Craw* —1B **16**
*Feroners Ct. Craw* —1B **16**
(off Feroners Clo.)
Ferring Clo. *Craw* —4E **11**
Fieldend. *H'ham* —5H **23**
Fieldings, The. *Horl* —3H **3**
Fieldview. *Horl* —3G **3**
*Field Wlk. H'ham* —4E **3**
(off Court Lodge Rd.)
Field Wlk. *Small* —3F **5**
Filbert Cres. *Craw* —5D **10**

Filey Clo. *Craw* —1C **14**
Findon Rd. *Craw* —3E **11**
Finsbury Clo. *Craw* —3F **15**
Firlands. *Horl* —3G **3**
Firle Clo. *Craw* —3H **11**
Fir Tree Clo. *Craw* —2E **11**
Fisher Clo. *Craw* —1H **15**
Fishers. *Horl* —3H **3**
Fishers Ct. *H'ham* —6C **22**
Fitchet Clo. *Craw* —3E **11**
Fitzalan Rd. *H'ham* —6G **23**
Five Acres. *Craw* —3H **11**
Flamsteed Heights. *Craw*
—4E **15**
Fleming Cen., The. *Craw*
—1H **11**
Fleming Wlk. *E Grin* —6F **21**
Fleming Way. *Craw* —1H **11**
Fleming Way Ind. Cen. *Craw*
—6A **8**
Fletcher Clo. *Craw* —1H **15**
Fletchers Clo. *H'ham* —3F **25**
Flint Clo. *M'bowr* —2C **16**
Fontwell Rd. *Craw* —2B **16**
Forbes Clo. *M'bowr* —3C **16**
Fordingbridge Clo. *H'ham*
—3D **24**
Forest Clo. *Craw D* —5G **19**
Forest Clo. *H'ham* —6H **23**
Forester Rd. *Craw* —1H **15**
Forestfield. *Craw* —2C **16**
Forestfield. *H'ham* —1H **25**
Forest Oaks. *H'ham* —6H **23**
Forest Rd. *H'ham & Craw*
(in two parts) —5H **23**
Forest View. *Craw* —2B **16**
Forest View Rd. *E Grin* —6E **21**
Forge La. *Craw* —4B **12**
Forge Rd. *Craw* —4B **12**
Forge Wood. *Craw* —6E **9**
Forge Wood Ind. Est. *Craw*
—1C **12**
Foundry Clo. *H'ham* —6E **23**
Foundry La. *H'ham* —1F **25**
Fountains Clo. *Craw* —1D **14**
Fowler Clo. *M'bowr* —1D **16**
Fox Clo. *Craw* —2E **11**
Foxglove Av. *H'ham* —4E **23**
Foxglove Wlk. *Craw* —2E **15**
Foxleigh Chase. *H'ham* —6F **23**
Framfield Clo. *Craw* —3D **10**
Francis Edwards Way. *Craw*
—3B **14**
Franklin Rd. *M'bowr* —6D **12**
Freshfield Clo. *Craw* —6B **12**
Friars Rookery. *Craw* —5A **12**
Friary Way. *Craw* —6H **11**
Friends Clo. *Craw* —2G **11**
Friston Wlk. *Craw* —3D **10**
Frith Pk. *E Grin* —2E **21**
Fry Clo. *Craw* —4E **15**
Fulham Clo. *Craw* —3E **15**
Fulmar Clo. *If'd* —6A **10**
Fulmar Dri. *E Grin* —2H **21**
Furnace Dri. *Craw* —1A **16**
Furnace Farm Rd. *Craw*
—1B **16**
Furnace Farm Rd. *Felb* —2G **19**
Furnace Pde. *Craw* —1B **16**
Furnace Pl. *Craw* —1B **16**

Furzefield. *Craw* —4E **11**
Furzefield Rd. *E Grin* —1D **20**
Furzefield Rd. *H'ham* —5H **23**
Furze La. *E Grin* —1B **20**

**G**ables, The. *Copt* —2A **18**
Gables, The. *Horl* —5F **3**
Gables, The. *H'ham* —6D **22**
Gabriel Rd. *M'bowr* —3D **16**
Gage Clo. *Craw D* —4H **19**
Gainsborough Rd. *Craw*
—2A **16**
Galahad Rd. *If'd* —5B **10**
Gales Dri. *Craw* —5A **12**
Gales Pl. *Craw* —5B **12**
Ganymede Ct. *Craw* —2B **14**
Garden Clo. *E Grin* —6F **21**
Gardeners Ct. *H'ham* —3E **25**
Garden Ho. La. *E Grin* —6F **21**
Garden Pl. *H'ham* —6C **22**
Garden Wlk. *Craw* —5F **11**
Garden Wlk. *H'ham* —6C **22**
Garden Wood Rd. *E Grin*
—4B **20**
Gardner La. *Craw D* —5F **19**
Garland Rd. *E Grin* —3D **20**
Garrett Clo. *M'bowr* —1D **16**
Garrick Wlk. *Craw* —2H **15**
Garrones, The. *Craw* —4F **13**
Garton Clo. *If'd* —6B **10**
Gasson Wood Rd. *Craw*
—1B **14**
Gateford Dri. *H'ham* —4F **23**
Gates Clo. *M'bowr* —3D **16**
Gatwick Bus. Pk. *Gat A* —5C **8**
Gatwick Ga. *Low H* —4H **7**
Gatwick Ga. Ind. Est. *Low H*
—4H **7**
Gatwick International
Distribution Cen. *Craw* —5C **8**
Gatwick Metro Cen. *Horl*
—4G **3**
Gatwick Rd. *Craw & Horl*
—2B **12**
Gatwick Way. *Horl* —1A **8**
Geary Clo. *Small* —6E **5**
Gemini Clo. *Craw* —1B **14**
Genesis Bus. Cen. *H'ham*
—1G **25**
George Pinton Ct. *H'ham*
—1C **24**
Georgian Clo. *Craw* —6E **13**
Gerald Ct. *H'ham* —2F **25**
Ghyll Cres. *H'ham* —4G **25**
Gibbons Clo. *M'bowr* —2D **16**
Giblets Way. *H'ham* —3E **23**
Giffards Clo. *E Grin* —4F **21**
Gillett Ct. *H'ham* —6H **23**
Gilligan Clo. *H'ham* —2C **24**
Ginhams Rd. *Craw* —5E **11**
Glades, The. *E Grin* —4H **21**
Glade, The. *Craw* —6B **12**
Glade, The. *H'ham* —1H **25**
Gladstone Rd. *H'ham* —1E **25**
Glanville Wlk. *Craw* —2D **14**
Gleave Clo. *E Grin* —3G **21**
Glebe Clo. *Craw* —4H **11**
Glebelands *Craw D* —6F **19**
Glebe, The. *Copt* —2A **18**

Glebe, The. *Felb* —1A **20**
Glebe, The. *Horl* —4E **3**
Glendale Clo. *H'ham* —4G **23**
Glendon Ho. *Craw* —6G **11**
Glendyne Clo. *E Grin* —5G **21**
Glendyne Way. *E Grin* —5G **21**
Gleneagles Ct. *Craw* —6G **11**
Glenfield Cotts. *Horl* —2A **6**
Glenview Clo. *Craw* —3A **12**
Glen Vue. *E Grin* —4E **21**
Gloucester Clo. *E Grin* —5G **21**
Gloucester Rd. *Craw* —3H **15**
Glover's Rd. *Charl* —2A **6**
Glynde Ho. *Craw* —3H **11**
*Glynde Pl. H'ham* —3D **24**
*(off South St.)*
Goddard Clo. *M'bowr* —2C **16**
Godolphin Ct. *Craw* —1G **15**
Goepel Ct. *Craw* —4B **12**
Goffs Clo. *Craw* —6F **11**
Goffs La. *Craw* —5E **11**
Goffs Pk. Rd. *Craw* —6F **11**
Goldcrest Clo. *Horl* —3D **2**
Goldfinch Clo. *Craw* —3G **11**
Goldfinch Clo. *H'ham* —3C **22**
Golding Clo. *M'bowr* —6D **12**
Goodwin Clo. *Bew* —2C **14**
Goodwins Clo. *E Grin* —2D **20**
Goodwood Clo. *Craw* —2B **16**
Goose Grn. Clo. *H'ham*
—5D **22**
Gordon Rd. *H'ham* —6D **22**
Goring's Mead. *H'ham* —3E **25**
Gorling Clo. *If'd* —6B **10**
Gorringes Brook. *H'ham*
—4D **22**
Gorse Clo. *Copt* —3A **18**
Gorse Clo. *Craw* —5E **15**
Gorse Dri. *Small* —4F **5**
Gorse End. *H'ham* —5D **22**
Gosden Clo. *Craw* —6B **12**
Gossops Dri. *Craw* —6C **10**
Gossops Grn. La. *Craw*
—6D **10**
Gossops Pde. *Craw* —6C **10**
Goudhurst Clo. *Worth* —5F **13**
Goudhurst Keep. *Worth*
—5F **13**
Gower Rd. *Horl* —4D **2**
Grace Rd. *Broadf* —4D **14**
Graffham Clo. *Craw* —6F **11**
Granary Clo. *Horl* —2F **3**
Granary Way. *H'ham* —3A **24**
Grand Pde. *Craw* —5G **11**
Grange Clo. *Craw* —3B **12**
Grange Cres. *Craw D* —6G **19**
Grange End. *Small* —4D **4**
Grange Rd. *Craw D* —6F **19**
Grange, The. *Horl* —1G **3**
Grangeway. *Small* —4D **4**
Grasmere Gdns. *H'ham*
—4H **23**
Grasslands. *Small* —4D **4**
Grassmere. *Horl* —3H **3**
Grattons Dri. *Craw* —2D **12**
Graveney Rd. *M'bowr* —6D **12**
Gravetye Clo. *Craw* —1B **16**
Grays Wood. *Horl* —4H **3**
Greatham Rd. *M'bowr* —2D **16**
Gt. House Ct. *E Grin* —5F **21**

Greatlake Ct. *Horl* —3G **3**
*(off Tanyard La.)*
Grebe Cres. *H'ham* —3H **25**
Greenacres. *Craw* —6B **12**
Greenacres. *H'ham* —6C **22**
Greenfields Clo. *Horl* —2D **2**
Greenfields Clo. *H'ham*
—4G **23**
Greenfields Rd. *Horl* —2E **3**
Greenfields Rd. *H'ham* —5G **23**
Greenfields Way. *H'ham*
—4G **23**
Greenfinch Way. *H'ham*
—3D **22**
Green Hedges Av. *E Grin*
—3D **20**
Green Hedges Clo. *E Grin*
—3D **20**
Green La. *Craw* —3H **11**
Green La. *Craw D* —1E **19**
Green La. *Ship B* —2G **9**
Green La. *Worth* —5E **13**
*(in two parts)*
Greenstede Av. *E Grin* —2F **21**
Green, The. *Copt* —2A **18**
Green, The. *Craw* —4F **11**
Green Wlk. *Craw* —3H **11**
Greenway. *H'ham* —1C **24**
Greenways Wlk. *Craw* —4F **15**
Greenwich Clo. *Craw* —3F **15**
Greenwood Ct. *Craw* —4E **15**
Gregory Clo. *M'bowr* —3D **16**
Grendon Clo. *Horl* —2E **3**
Gresham Wlk. *Craw* —2H **15**
*(in two parts)*
Greyhound Slip. *Worth* —4E **13**
Grier Clo. *If'd* —6B **10**
Griffen M. *Craw* —1B **16**
Grisedale Clo. *Craw* —1F **15**
Groombridge Way. *H'ham*
—3A **24**
Grooms, The. *Worth* —3E **13**
Grosvenor Rd. *E Grin* —4D **20**
Grovelands. *Horl* —5G **3**
Grove Rd. *Horl* —3D **2**
Grove, The. *Craw* —5F **11**
Grove, The. *Horl* —5G **3**
Guernsey Clo. *Craw* —3D **14**
Guillemot Path. *If'd* —6A **10**
Guinevere Rd. *If'd* —5B **10**
Guinness Ct. *Craw* —3F **15**
Gunning Clo. *Craw* —2D **14**
Gwynne Gdns. *E Grin* —3C **20**

**H**ackenden Clo. *E Grin*
—2E **21**
Hackenden La. *E Grin* —2E **21**
*(in two parts)*
Hadmans Clo. *H'ham* —3D **24**
Halifax Clo. *Craw* —2F **13**
Halland Clo. *Craw* —4B **12**
Halley Clo. *Craw* —4E **15**
Hallsland. *Craw D* —5H **19**
Halnaker Wlk. *Craw* —2C **14**
Halsford Croft. *E Grin* —2B **20**
Halsford Grn. *E Grin* —2B **20**
Halsford La. *E Grin* —3B **20**
Halsford Pk. Rd. *E Grin*
—3C **20**

Hambleton Ct. *Craw* —1F **15**
Hambleton Hill. *Craw* —1F **15**
Hamilton Rd. *H'ham* —1C **24**
Hammerpond Rd. *H'ham*
—4H **25**
Hammer Yd. *Craw* —6G **11**
Hampden Clo. *Craw* —2F **13**
Hampers Ct. *H'ham* —2E **25**
Hamper's La. *H'ham* —2H **25**
Hampstead Wlk. *Craw* —3F **15**
Hampton Way. *E Grin* —6F **21**
Hanbury Rd. *If'd* —6B **10**
Handsworth Ho. *Craw* —6G **11**
*(off Brighton Rd.)*
Hanover Clo. *Craw* —1A **16**
*(in two parts)*
Hanover Ct. *H'ham* —1G **25**
Hardham Clo. *Craw* —3D **10**
Hardy Clo. *Craw* —4D **12**
Hardy Clo. *Horl* —4D **2**
Hardy Clo. *H'ham* —6B **22**
Hare La. *Craw* —2E **11**
Harewood Clo. *Craw* —2B **12**
Harmans Dri. *E Grin* —4H **21**
Harmans Mead. *E Grin* —4H **21**
Harmony Clo. *Bew* —1B **14**
Harold Rd. *Worth* —5F **13**
Haroldslea. *Horl* —6A **4**
Haroldslea Clo. *Horl* —6H **3**
Haroldslea Dri. *Horl* —6H **3**
Harper Dri. *M'bowr* —3D **16**
*Harrier Ct. Craw* —2E **13**
*(off Bristol Clo.)*
Harris Clo. *Craw* —2E **15**
Harris Path. *Craw* —2E **15**
Harrowsley Ct. *Horl* —3G **3**
Harrowsley Grn. La. *Horl*
—5H **3**
Harting Ct. *Craw* —2C **14**
Harvesters. *H'ham* —5D **22**
Harvest Hill. *E Grin* —5E **21**
Harvest Rd. *M'bowr* —1D **16**
Harvestside. *Horl* —3H **3**
Harvey Clo. *Craw* —4D **14**
Harwood Rd. *H'ham* —1F **25**
Harwoods Clo. *E Grin* —6F **21**
Harwoods La. *E Grin* —6F **21**
Hascombe Ct. *Craw* —6D **10**
Haslett Av. E. *Craw* —5H **11**
Haslett Av. W. *Craw* —6G **11**
Hassocks Ct. *Craw* —2C **14**
Hastings Rd. *Craw* —5D **12**
Hatchgate. *Horl* —5E **3**
Hatchlands. *H'ham* —3G **23**
Hatfield Wlk. *Craw* —2B **14**
Hathersham Clo. *Small* —3D **4**
Hathersham La. *Small* —1A **4**
Haven Gdns. *Craw D* —4G **19**
Havengate. *H'ham* —5F **23**
Haversham Clo. *Craw* —5A **12**
Hawarden Clo. *Craw D* —5H **19**
Hawkesbourne Rd. *H'ham*
—5F **23**
Hawkesmoor Rd. *Craw*
—1B **14**
Hawkhurst Wlk. *Craw* —1C **16**
Hawkins Rd. *Craw* —2H **15**
Hawmead. *Craw D* —5H **19**
Haworth Rd. *M'bowr* —6C **12**
Hawth Av. *Craw* —1A **16**

Hawth Clo. *Craw* —1H **15**
Hawthorn Clo. *Craw* —2F **11**
Hawthorn Clo. *H'ham* —6C **22**
Haybarn Dri. *H'ham* —3E **23**
Hayes Wlk. *Small* —3D **4**
Hayfields. *Horl* —3G **3**
Hayling Ct. *Craw* —2F **15**
Haywards. *Craw* —2E **13**
Hazel Clo. *Craw* —2F **11**
Hazel Clo. *Craw D* —5H **19**
Hazelhurst. *Horl* —3H **3**
Hazelhurst Cres. *H'ham*
—3A **24**
Hazelhurst Dri. *Worth* —5F **13**
Hazel Way. *Craw D* —5H **19**
Hazelwick Av. *Craw* —3B **12**
Hazelwick Ct. *Craw* —3B **12**
Hazelwick Mill La. *Craw*
*(in two parts)* —3B **12**
Hazelwick Rd. *Craw* —4B **12**
Hazelwood. *Craw* —5D **10**
Hazelwood Clo. *Craw D*
—5E **19**
Headley Clo. *Craw* —2E **13**
Heath Clo. *Broad H* —1A **24**
Heathcote Dri. *E Grin* —3B **20**
Heath Ct. *Broad H* —1A **24**
Heather Clo. *Copt* —3A **18**
Heather Clo. *H'ham* —5D **22**
Heatherlands. *Horl* —3G **3**
*(in two parts)*
Heather Wlk. *Craw* —2E **15**
Heather Wlk. *Small* —4F **5**
Heathfield. *Craw* —2E **13**
*(in two parts)*
Heath Way. *H'ham* —5D **22**
Hedgeside. *Craw* —4F **15**
Hedingham Clo. *Horl* —3H **3**
Helicon Ho. *Craw* —6F **11**
Hemsby Wlk. *Craw* —1C **16**
Henbane Ct. *Craw* —3E **15**
Henderson Rd. *Craw* —4E **15**
Henderson Way. *H'ham*
—4A **24**
Hengist Clo. *H'ham* —3B **24**
Henley Clo. *M'bowr* —1E **17**
Henshaw Clo. *Craw* —1C **14**
Henson Rd. *Craw* —4C **12**
Henty Clo. *Craw* —2B **14**
Hepplewhite Clo. *Craw* —4E **15**
Hereford Clo. *Craw* —3H **15**
Heritage Lawn. *Horl* —3H **3**
Herm Clo. *Craw* —3D **14**
Hermitage La. *E Grin* —5F **21**
Hermitage Rd. *E Grin* —2D **20**
Hermits Rd. *Craw* —4A **12**
Hernbrook Dri. *H'ham* —4F **25**
Heron Clo. *Craw* —3F **11**
Heron Pl. *E Grin* —5F **21**
Herons Clo. *Copt* —1F **19**
Herons Lea. *Copt* —1F **19**
Herons Wood Ct. *Horl* —3G **3**
Herontye Dri. *E Grin* —5F **21**
Heron Way. *H'ham* —2H **25**
Herrick Clo. *Craw* —3D **12**
Herschel Wlk. *Craw* —4E **15**
Hevers Av. *Horl* —3E **3**
Hevers Corner. *Horl* —3E **3**
Hexham Clo. *Worth* —5F **13**
Hickling Wlk. *Craw* —1C **16**

# Highams Hill—Lancelot Clo.

Highams Hill. *Craw* —6C **10**
Highbirch Clo. *H'ham* —5H **23**
Highdown Ct. *Craw* —2C **16**
Highdown Way. *H'ham* —4F **23**
Highfield Ho. *Craw* —4G **11**
  *(off Town Mead)*
Highfield Rd. *E Grin* —2D **20**
Highgate Ct. *Craw* —3F **15**
Highlands Av. *H'ham* —2F **25**
Highlands Cres. *H'ham* —2F **25**
Highlands Rd. *H'ham* —2F **25**
High Oaks. *Craw* —1E **15**
High St. Balcombe, *Balc*
  —6F **17**
High St. Crawley, *Craw*
  (in three parts)  —5G **11**
High St. East Grinstead,
  *E Grin* —5F **21**
High St. Horley, *Horl* —4G **3**
Highworth. *H'ham* —3G **25**
Hillary Clo. *E Grin* —2G **21**
Hillcrest Clo. *Craw* —5E **13**
Hillingdale. *Craw* —4F **15**
Hillmead. *Craw* —6C **10**
Hill Mead. *H'ham* —1B **24**
Hill Pl. *Craw* —1F **15**
Hills Farm La. *H'ham* —3A **24**
Hillside. *Craw D* —5G **19**
Hillside. *H'ham* —2B **24**
Hillside Clo. *Craw* —1E **15**
Hillside Clo. *E Grin* —2E **21**
Hills Pl. *H'ham* —2B **24**
Hillview Gdns. *Craw* —5F **15**
Hilton Ct. *Horl* —3H **3**
Hindhead Clo. *Craw* —1F **15**
Hobbs Rd. *Broadf* —3D **14**
Hocken Mead. *Craw* —3E **13**
Hodgkin Clo. *M'bowr* —6D **12**
Hogarth Rd. *Craw* —2A **16**
Hog's Hill. *Craw* —2G **15**
Holbein Rd. *Craw* —2A **16**
Holbrook School La. *H'ham*
  —3E **23**
Holder Rd. *M'bowr* —2C **16**
Hollands Way. *E Grin* —1G **21**
Hollin Ct. *Craw* —2H **11**
Hollingbourne Cres. *Craw*
  —5F **15**
Hollow, The. *Craw* —6C **10**
Hollybush Rd. *Craw* —4H **11**
Holly Clo. *Craw* —3B **12**
Holly Clo. *H'ham* —5H **23**
Holman Clo. *Craw* —5E **15**
Holmbury Clo. *Craw* —1F **15**
Holmbury Keep. *Horl* —3H **3**
  *(off Langshott La.)*
Holmbush Clo. *H'ham* —4D **22**
Holmbush Potteries Ind. Est.
  *Fay* —4A **14**
Holmcroft. *Craw* —6H **11**
Holming End. *H'ham* —5H **23**
Holtye Av. *E Grin* —2F **21**
Holtye Rd. *E Grin* —3F **21**
Holtye Wlk. *Craw* —1B **16**
Holyrood. *E Grin* —6G **21**
Holyrood Pl. *Broadf* —3E **15**
Home Clo. *Craw* —3D **12**
Homefield Clo. *Horl* —3G **3**
Homestream Ho. *H'ham*
  —3C **24**

Homethorne Ho. *Craw* —6F **11**
Honeysuckle Clo. *Horl* —3H **3**
Honeysuckle La. *Craw* —2F **11**
Honeysuckle Wlk. *H'ham*
  —5G **23**
Honeywood Rd. *H'ham*
  —6G **23**
Hope Ct. *Craw* —4E **15**
Hophurst Clo. *Craw D* —5G **19**
Hophurst Dri. *Craw D* —5G **19**
Hophurst Hill. *Craw D* —3H **19**
Hophurst La. *Craw D* —4G **19**
Hopkins Ct. *Craw* —4E **15**
Hordern Ho. *H'ham* —3B **24**
Horley Rd. *Charl* —3C **6**
Horley Row. *Horl* —3E **3**
Hornbeam Clo. *H'ham* —3G **25**
Hornbrook Copse. *H'ham*
  —4G **25**
Hornbrook Hill. *H'ham* —4G **25**
Horndean Clo. *Craw* —1E **13**
Horse Hill. *Horl* —3A **2**
Horseshoe Clo. *Craw* —4E **13**
Horsham Northern By-Pass.
  *H'ham* —4B **22**
Horsham Rd. *Craw* —3B **14**
Horsham Rd. *Peas P* —6D **14**
Hoskins Pl. *E Grin* —1G **21**
Houghton Rd. *M'bowr* —2D **16**
Howard Rd. *Craw* —3B **14**
Howard Rd. *H'ham* —6G **23**
Hoylake Clo. *If'd* —6A **10**
Hoyland Ho. *Craw* —5C **10**
Hudson Rd. *Craw* —1H **15**
Hunstanton Clo. *If'd* —6A **10**
Hunter Ho. *Craw* —2G **15**
Hunter Rd. *Craw* —2G **15**
Hurst-an-Clays. *E Grin* —5E **21**
Hurst Av. *H'ham* —1E **25**
Hurst Clo. *Craw* —1C **14**
Hurst Ct. *H'ham* —1E **25**
Hurst Farm Rd. *E Grin* —5D **20**
Hurst Rd. *Horl* —3D **2**
Hurst Rd. *H'ham* —6C **22**
Hutchins Way. *Horl* —2E **3**
Hyde Dri. *Craw* —6B **10**
Hyde Heath Ct. *Craw* —3E **13**
Hylands Clo. *Craw* —6B **12**
Hyperion Ct. *Bew* —1B **14**
Hyperion Wlk. *Horl* —6G **3**

Icklesham Ho. *Craw* —2C **14**
Ifield Av. *Craw* —2D **10**
Ifield Dri. *Craw* —4C **10**
Ifield Grn. *If'd* —2D **10**
Ifield Rd. *Charl* —5B **6**
Ifield Rd. *Craw* —4E **11**
Ifield St. *If'd* —3C **10**
Ifield Wood. *If'd* —3A **10**
Imberhorne Bus. Cen. *E Grin*
  —2B **20**
Imberhorne La. *E Grin* —2B **20**
Imberhorne Way. *E Grin*
  —2B **20**
Independant Bus. Pk., The.
  *E Grin* —2A **20**
Ingram Clo. *H'ham* —2B **24**
Inholmes. *Craw* —5B **12**
Innes Rd. *H'ham* —6F **23**

Institute Wlk. *E Grin* —4E **21**
Iona Clo. *Craw* —2E **15**
Irving Wlk. *Craw* —2H **15**
Irwin Dri. *H'ham* —1B **24**
Ivanhoe Clo. *Craw* —2G **11**
Iveagh Clo. *Craw* —4F **15**
Ivory Wlk. *Craw* —1B **14**

Jackdaw Clo. *Craw* —3F **11**
Jackdaw La. *H'ham* —5E **23**
Jackson Rd. *Craw* —5E **15**
Jacobean Clo. *Craw* —6D **12**
James Watt Way. *Craw* —6B **8**
Jarvis Clo. *Craw* —5E **15**
Jasmine Ct. *H'ham* —2D **24**
Javelin Ct. *Craw* —2E **13**
Jeans Ct. *Craw* —4E **15**
Jenner Rd. *Craw* —6A **8**
Jersey Rd. *Craw* —3D **14**
Jewel Wlk. *Craw* —2D **14**
Jockey Mead. *H'ham* —3B **24**
John Pounds Ho. *Craw*
  —1G **15**
Johnson Wlk. *Craw* —2H **15**
Jolesfield Ct. *Craw* —2C **14**
Jordans Clo. *Craw* —3G **11**
Jordans Cres. *Craw* —2G **11**
Jordans, The. *E Grin* —5E **21**
Jubilee Est. *H'ham* —6E **23**
Jubilee Wlk. *Craw* —5B **12**
Judge's Ter. *E Grin* —5E **21**
Juniper Rd. *Craw* —2F **11**
Jura Clo. *Craw* —2E **15**
Juxon Clo. *Craw* —1C **14**

Karenza Ct. *H'ham* —1F **25**
Keats Clo. *H'ham* —3F **23**
Keats Pl. *E Grin* —4D **20**
Keble Clo. *Craw* —2E **13**
Keir Hardie Ho. *Craw* —4E **15**
Kelsey Clo. *Horl* —4E **3**
Kelso Clo. *Worth* —4F **13**
Kelvin Bus. Cen. *Craw* —1A **12**
Kelvin La. *Craw* —1A **12**
Kelvin Way. *Craw* —1A **12**
Kempshott Rd. *H'ham* —6B **22**
Kendale Clo. *M'bowr* —3D **16**
Kendale Co. *Craw* —3D **16**
Kenilworth Clo. *Craw* —3E **15**
Kenmara Clo. *Craw* —2B **12**
Kenmara Ct. *Craw* —1B **12**
Kennedy Av. *E Grin* —2D **20**
Kennedy Rd. *H'ham* —3E **25**
Kennel La. *Horl* —5C **2**
Kennet Clo. *Craw* —6C **10**
Kensington Rd. *Craw* —3E **15**
Kentwyns Dri. *H'ham* —4F **25**
Kenya Ct. *Horl* —3E **3**
Kerves La. *H'ham* —6E **25**
Kestrel Clo. *Craw* —3F **11**
Kestrel Clo. *H'ham* —5E **23**
Keswick Clo. *If'd* —1A **14**
Keymer Rd. *Craw* —1G **15**
Kidborough Rd. *Craw* —6C **10**
Kidmans Clo. *H'ham* —5F **23**
Kidworth Clo. *Horl* —2E **3**
Kiln Clo. *Craw D* —6G **19**
Kiln La. *Horl* —2F **3**

Kilnmead. *Craw* —4H **11**
Kilnmead Clo. *Craw* —4H **11**
Kiln Rd. *Craw D* —6G **19**
Kimberley Clo. *Horl* —4D **2**
Kimberley Rd. *Craw* —4C **12**
Kindersley Clo. *E Grin* —2H **21**
Kingfisher Clo. *Craw* —2B **12**
Kingfisher Rise. *E Grin* —5F **21**
Kingfisher Way. *H'ham*
  —5C **22**
King George Av. *E Grin*
  —2C **20**
Kings Copse. *E Grin* —5F **21**
Kingscote Hill. *Craw* —1E **15**
King's Ct. *H'ham* —1F **25**
Kingslea. *H'ham* —1F **25**
Kingsley Clo. *Horl* —2E **3**
Kingsley Rd. *Craw* —2D **14**
Kingsley Rd. *Horl* —2E **3**
Kings Mead. *Small* —4E **5**
Kingsmead Clo. *H'ham*
  —4H **23**
Kings Rd. *Horl* —4F **3**
King's Rd. *H'ham* —1F **25**
King St. *E Grin* —4E **21**
Kingswood Clo. *Broadf* —5F **15**
Kipling Clo. *Craw* —3D **12**
Kipling Ct. *H'ham* —6G **23**
Kipling Way. *E Grin* —4C **20**
Kirdford Clo. *Craw* —3D **10**
Kites Clo. *Craw* —5F **11**
Kithurst Clo. *Craw* —1G **15**
Kitsmead. *Copt* —1H **13**
Kittiwake Clo. *If'd* —1A **14**
Knepp Clo. *Craw* —5D **12**
Knighton Clo. *Craw* —1E **13**
Knob Hill. *Warn* —2A **22**
Knole Clo. *Worth* —4E **13**
Knole Gro. *E Grin* —2C **20**
Knowle Clo. *Copt* —2B **18**
Knowle Dri. *Copt* —2A **18**

Laburnum Ct. *Small* —6F **5**
Ladbroke Rd. *Horl* —2G **3**
Lady Margaret Rd. *Craw*
  —4D **10**
Lady Margaret Wlk. *Craw*
  —4D **10**
Ladymead Clo. *M'bowr*
  —2D **16**
Lake La. *Horl* —2H **3**
Lakeside. *H'ham* —5C **22**
Lake View Rd. *Felb* —2G **19**
Lamberhurst Wlk. *Craw*
  —6B **12**
Lambeth Clo. *Craw* —3E **15**
Lambeth Wlk. *Craw* —3E **15**
Lambourn Clo. *E Grin* —2E **21**
Lambourne Clo. *Craw* —1A **16**
Lambs Cres. *H'ham* —5F **23**
Lambs Farm Clo. *H'ham*
  —5G **23**
Lambs Farm Rd. *H'ham*
  —5F **23**
Lambyn Croft. *Horl* —3H **3**
Lanark Clo. *H'ham* —2F **25**
Lancaster Clo. *Craw* —2E **13**
Lancaster Dri. *E Grin* —2G **21**
Lancelot Clo. *If'd* —5B **10**

Merlin Clo. *If'd* —5B **10**
Merlin Way. *E Grin* —2G **21**
Merryfield Dri. *H'ham* —1B **24**
Metcalf Way. *Craw* —1G **11**
Mews, The. *Charl* —2B **6**
Michael Cres. *Horl* —6F **3**
Michell Clo. *H'ham* —2B **24**
Middlefield. *Horl* —3H **3**
Middle Row. *E Grin* —5F **21**
Middle St. *H'ham* —2D **24**
Middleton Rd. *H'ham* —2B **24**
Middleton Way. *If'd* —6B **10**
Midgeley Rd. *Craw* —3A **12**
Midhurst Clo. *Craw* —4D **10**
Milborne Rd. *M'bowr* —3D **16**
Millais. *H'ham* —1H **25**
Millais Clo. *Craw* —3C **14**
Millais Ct. *H'ham* —6G **23**
Millbank, The. *Craw* —5C **10**
Millbay La. *H'ham* —3C **24**
Mill Clo. *E Grin* —6E **21**
Mill Clo. *Horl* —3D **2**
Millers Ga. *H'ham* —5D **22**
Mill Farm Rd. *H'ham* —6G **23**
Mill La. *Copt* —2D **18**
Mill La. *Hkwd* —4C **2**
Mill La. *If'd* —3D **10**
Mill Rd. *Craw* —4C **12**
Millthorpe Rd. *H'ham* —6F **23**
Mill Way. *E Grin* —6E **21**
Milne Clo. *Craw* —2B **14**
Milnwood Rd. *H'ham* —1D **24**
Milton Cres. *E Grin* —5C **20**
Milton Mt. *Craw* —2E **13**
Milton Mt. Av. *Craw* —3D **12**
Milton Rd. *Craw* —4D **12**
Milton Rd. *H'ham* —1D **24**
Mindelheim Av. *E Grin* —3H **21**
Miranda Wlk. *Bew* —1B **14**
Mitchells Rd. *Craw* —5A **12**
Mitford Wlk. *Craw* —2D **14**
Moat Rd. *E Grin* —3E **21**
Moat Wlk. *Craw* —4D **12**
Mole Clo. *Craw* —3E **11**
Molins Ct. *Craw* —2D **14**
*(off Brideake Clo.)*
Monarch Clo. *Craw* —2D **14**
Monksfield. *Craw* —5A **12**
Montreux Ct. *Craw* —5E **11**
Moons La. *H'ham* —3F **25**
Moorcroft Clo. *Craw* —4E **11**
Moore Ct. *H'ham* —3B **24**
Moorhead Rd. *H'ham* —5H **23**
Moorings, The. *Felb* —2A **20**
Moorland Rd. *M'bowr* —2D **16**
Moor Pk. *Horl* —5G **3**
*(off Aurum Clo.)*
Moor Pk. Cres. *If'd* —6A **10**
Moor Pl. *E Grin* —3D **20**
Morecombe Clo. *Craw* —1C **14**
Morrell Av. *H'ham* —5F **23**
Morrison Ct. *Craw* —4E **15**
Morth Gdns. *H'ham* —3D **24**
Morton Clo. *Craw* —5E **15**
Morton Rd. *E Grin* —6E **21**
Mosford Clo. *Horl* —2E **3**
Mountbatten Clo. *Craw* —3F **15**
Mount Clo. *Craw* —4E **13**
Mowbray Dri. *Craw* —1C **14**
Moyne Rd. *Craw* —3F **15**

Muirfield Clo. *If'd* —6A **10**
Mulberry Clo. *H'ham* —5C **22**
Mulberry Rd. *Craw* —2E **11**
Mullein Wlk. *Craw* —3D **14**
Murray Ct. *Craw* —4D **14**
Murray Ct. *H'ham* —6H **23**
Musgrave Av. *E Grin* —6E **21**

**N**aldrett Clo. *H'ham* —6F **23**
Napier Way. *Craw* —2B **12**
Nash Rd. *Craw* —2H **15**
Neale Clo. *E Grin* —2B **20**
Neale Ho. *E Grin* —3E **21**
Needles Clo. *H'ham* —3C **24**
Nelson Clo. *M'bowr* —6D **12**
Nelson Rd. *H'ham* —1C **24**
Neptune Clo. *Bew* —1B **14**
Nesbit Ct. *Craw* —2B **14**
Netherwood. *Craw* —1E **15**
Netley Clo. *Craw* —5F **15**
Nevile Clo. *Craw* —2D **14**
Newark Rd. *Craw* —3A **12**
Newlands Clo. *Horl* —2E **3**
Newlands Cres. *E Grin* —3D **20**
Newlands Pk. *Copt* —2D **18**
Newlands Rd. *Craw* —6F **11**
Newlands Rd. *H'ham* —6C **22**
Newman Clo. *M'bowr* —1D **16**
Newmarket Rd. *Craw* —1B **16**
New Moorhead Dri. *H'ham*
—4H **23**
New Rd. *Small* —4E **5**
New St. *Craw* —4B **12**
New St. *H'ham* —3E **25**
Newton Rd. *Craw* —1A **12**
New Town. *Copt* —2A **18**
Nightingale Clo. *Craw* —3F **11**
Nightingale Clo. *E Grin* —6D **20**
Nightingale Ind. Est. *H'ham*
—1E **25**
Nightingale Rd. *H'ham* —1E **25**
Nightingales Clo. *H'ham*
—2G **25**
Nimrod Ct. *Craw* —2E **13**
*(off Wakehams Grn. Dri.)*
Ninfield Ct. *Craw* —3C **14**
Niven Clo. *M'bowr* —6E **13**
Norfolk Clo. *Craw* —3B **14**
Norfolk Clo. *Horl* —5F **3**
Norfolk Ct. *H'ham* —5H **23**
Norfolk Rd. *H'ham* —2E **25**
Norfolk Ter. *H'ham* —2E **25**
Normandy. *H'ham* —3D **24**
Normandy Clo. *E Grin* —5F **21**
Normandy Clo. *M'bowr*
—1C **16**
Normandy Gdns. *H'ham*
—3D **24**
Normanhurst Clo. *Craw*
—5A **12**
Norman's Rd. *Small & Red*
—2F **5**
North Ash. *H'ham* —6C **22**
North Clo. *Craw* —4A **12**
Northdown Clo. *H'ham* —6F **23**
Northdown Ter. *H'ham* —2D **20**
North End. *E Grin* —2B **20**
Northgate Av. *Craw* —5H **11**
Northgate Pl. *Craw* —4H **11**

Northgate Rd. *Craw* —5G **11**
N. Heath Clo. *H'ham* —5D **22**
N. Heath Est. *H'ham* —4D **22**
N. Heath La. *H'ham* —6D **22**
N. Holmes Clo. *H'ham* —5H **23**
Northlands Rd. *H'ham* —3E **23**
North Mead. *Craw* —3H **11**
North Pde. *H'ham* —6C **22**
N. Perimeter Rd. *Horl* —2G **7**
North Rd. *Craw* —3B **12**
North St. *H'ham* —2E **25**
Northwood Pk. *Craw* —1B **12**
Norwich Rd. *Craw* —1B **16**
Norwood Hill Rd. *Charl* —2B **6**
Nurserylands. *Craw* —5D **10**
Nursery La. *Hkwd* —5C **2**
Nutbourne Ct. *H'ham* —5D **22**
*(off Woodstock Clo.)*
Nuthatch Way. *H'ham* —3D **22**
Nuthurst Clo. *Craw* —4D **10**
Nymans Clo. *H'ham* —3G **23**
Nymans Ct. *Craw* —2C **16**

**O**akapple Clo. *Craw* —4E **15**
Oak Clo. *Copt* —6H **9**
Oak Ct. *Craw* —1G **11**
Oak Croft. *E Grin* —5G **21**
Oak Dell. *Craw* —4D **12**
Oakfield Ct. *Horl* —4F **3**
*(off Consort Way)*
Oakfields. *Worth* —3E **13**
Oakfield Way. *E Grin* —2F **21**
Oakhaven. *Craw* —1G **15**
Oakhill Rd. *H'ham* —2F **25**
Oakhurst Gdns. *E Grin* —3C **20**
Oaklands. *Horl* —4H **3**
Oaklands. *H'ham* —2F **25**
Oakleigh Rd. *H'ham* —6F **23**
Oakley Clo. *E Grin* —6H **21**
Oak Rd. *Craw* —6F **11**
Oaks Clo. *H'ham* —4H **23**
Oakside Clo. *Horl* —3H **3**
Oakside La. *Horl* —3H **3**
Oaks, The. *E Grin* —5G **21**
Oaktree Way. *H'ham* —6F **23**
Oak Way. *Craw* —3H **11**
Oakwood Ind. Pk. *Craw*
—2B **12**
Oakwood Rd. *Horl* —3F **3**
Oates Wlk. *Craw* —2A **16**
Oatlands. *Craw* —6D **10**
Oatlands. *Horl* —3H **3**
Oberon Way. *Craw* —2B **14**
Old Brighton Rd. *Peas P*
—6E **15**
Old Brighton Rd. S. *Low H*
—5H **7**
Old Convent. *E Grin* —3E **21**
Old Crawley Rd. *Fay* —4H **23**
Old Denne Gdns. *H'ham*
—3D **24**
Old Dorking Rd. *H'ham*
—4B **22**
Oldfield Clo. *Horl* —6E **3**
Oldfield Rd. *Horl* —5E **3**
Old Guildford Rd. *H'ham*
—1A **24**
Old Holbrook. *H'ham* —2E **23**
Old Hollow. *Worth* —5G **13**

Old Horsham Rd. *Craw*
—1E **15**
Old Mnr. Clo. *Craw* —3D **10**
Old Mnr. Ct. *Craw* —3D **10**
Old Martyrs. *Craw* —2G **11**
Old Millmeads. *H'ham* —5C **22**
Old Orchards. *M'bowr* —5F **13**
Old Overthorpe. *Horl* —6E **5**
Old Pound Cotts. *If'd* —4A **10**
Old Rd. *E Grin* —4F **21**
Old Sta. Clo. *Craw D* —6G **19**
Oliver Rd. *H'ham* —3B **24**
Olivier Rd. *M'bowr* —6E **13**
Ontario Clo. *Small* —5D **4**
Orchard Clo. *Horl* —3E **3**
Orchard Cotts. *Horl* —2C **6**
Orchard Rd. *H'ham* —3F **25**
Orchard Rd. *Small* —4F **5**
Orchards, The. *Broad H*
—5F **23**
Orchards, The. *If'd* —6A **10**
Orchard St. *Craw* —5G **11**
Orchard, The. *Horl* —4F **3**
Orchard Way. *E Grin* —4E **21**
Orde Clo. *Craw* —2E **13**
Oriel Clo. *Craw* —2D **12**
Orion Ct. *Bew* —1A **14**
Ormesby Wlk. *Craw* —1C **16**
Osborne Ct. *Craw* —3E **15**
Osmund Clo. *Worth* —5F **13**
Osney Clo. *Craw* —6F **11**
Otford Clo. *Craw* —5F **15**
Otway Clo. *Craw* —1C **14**
Oulton Wlk. *Craw* —1C **16**
Overdene Dri. *Craw* —5D **10**
Overton Shaw. *E Grin* —1E **21**
Owlbeech Ct. *H'ham* —6H **23**
Owlbeech Pl. *H'ham* —6H **23**
Owlbeech Way. *H'ham* —6H **23**
Owletts. *Craw* —4E **13**
Owlscastle Clo. *H'ham* —5D **22**
Oxford Rd. *Craw* —3H **15**
Oxford Rd. *H'ham* —2E **25**

**P**acker Clo. *E Grin* —2G **21**
Paddock Gdns. *E Grin* —6E **21**
Paddockhurst Rd. *Craw*
—6D **10**
Paddockhurst Rd. *Turn H*
—5G **17**
Paddock, The. *Craw* —4E **13**
Padstow Wlk. *Craw* —1B **14**
Padwick Rd. *H'ham* —2H **25**
Page Ct. *H'ham* —3E **25**
Paget Clo. *H'ham* —4F **25**
Pagewood Clo. *M'bowr*
—1E **17**
Palestra Ho. *Craw* —5F **11**
Pallingham Dri. *M'bowr*
—2D **16**
Palmer Clo. *Horl* —2E **3**
Palmer Rd. *M'bowr* —2D **16**
Pankhurst Ct. *Craw* —4E **15**
Pannell Clo. *E Grin* —5D **20**
Parade, The. *Craw* —4H **11**
Parade, The. *E Grin* —2B **20**
Parham Rd. *Craw* —4C **10**
Parish Ho. *Craw* —6G **11**
Parish La. *Peas P* —6F **15**

Parker Clo. *Craw* —1E **17**
Park Farm Clo. *H'ham* —3D **22**
Park Farm Rd. *H'ham* —3D **22**
Parkfield. *H'ham* —1D **24**
Parkfield Clo. *Craw* —5C **10**
Parkhurst Gro. *Horl* —3E **3**
Parkhurst Rd. *Horl* —3D **2**
Park Lawn Av. *Horl* —2E **3**
Park Pl. *H'ham* —3D **24**
Park Rise. *H'ham* —6B **22**
Park Rd. *E Grin* —4D **20**
Park Rd. *Small* —6F **5**
Parkside. *Craw* —5H **11**
Parkside. *E Grin* —4C **20**
Parkside M. *H'ham* —1E **25**
Park St. *H'ham* —2E **25**
Park Ter. E. *H'ham* —3E **25**
Park Ter. W. *H'ham* —3E **25**
Park View. *Horl* —4F **3**
Park Way. *Craw* —4C **12**
Parkway. *Horl* —4F **3**
Park Way. *H'ham* —2D **24**
Parnell Clo. *M'bowr* —1E **17**
Parry Clo. *H'ham* —6H **23**
Parsonage Bus. Pk. *H'ham*
—6E **23**
Parsonage Rd. *H'ham* —6D **22**
Parsonage Way. *H'ham*
—6E **23**
Parsons Clo. *Horl* —3D **2**
Parson's Wlk. *H'ham* —4A **24**
Parthings La. *H'ham* —5A **24**
Pasture, The. *Craw* —5D **12**
Patching Clo. *Craw* —4C **10**
Patchings. *H'ham* —1G **25**
Path Link. *Craw* —4H **11**
Patrington Clo. *Craw* —2D **14**
Patterdale Clo. *Craw* —1E **15**
Pavement, The. *Craw* —5H **11**
Pavilion Way. *E Grin* —5E **21**
Pax Clo. *Bew* —1B **14**
Payne Clo. *Craw* —3E **13**
Peacemaker Clo. *Bew* —1B **14**
Peacock Wlk. *Craw* —2D **14**
Pearson Rd. *Craw* —5C **12**
Peary Clo. *H'ham* —4D **22**
Pease Pottage Hill. *Craw*
—4F **15**
Peeks Brook La. *Horl* —3F **9**
Pegasus Ct. *Bew* —1B **14**
Pegasus Way. *E Grin* —2H **21**
Pegwell Clo. *Craw* —1C **14**
Pelham Ct. *Craw* —3E **15**
Pelham Ct. *H'ham* —2C **24**
Pelham Dri. *Craw* —3D **14**
Pelham Pl. *Craw* —3E **15**
Pembley Grn. *Copt* —2D **18**
Pembroke Rd. *Craw* —2D **12**
Penfold Rd. *M'bowr* —3C **16**
Penn Clo. *Craw* —2G **11**
Penn Ct. *Craw* —5C **10**
Pennine Clo. *Craw* —5E **11**
Penshurst Clo. *Craw* —4E **13**
Peppard Rd. *M'bowr* —2E **17**
Percy Rd. *H'ham* —1C **24**
Perimeter Rd. E. *Gat A* —2C **8**
Perimeter Rd. N. *Gat A* —1G **7**
Perimeter Rd. S. *Gat A* —4F **7**
Perkstead Ct. *Craw* —2D **14**
(off Waddington Clo.)

Perry Av. *E Grin* —2E **21**
Perryfield Rd. *Craw* —6F **11**
Perrylands. *Charl* —2C **6**
Perrylands La. *Horl* —5C **4**
Perth Clo. *Craw* —2G **11**
Perth Way. *H'ham* —6F **23**
Peterborough Rd. *Craw*
—3H **15**
Peterhouse Pde. *Craw* —2D **12**
Peterlee Wlk. *Bew* —3B **14**
Petworth Ct. *Craw* —2C **14**
Petworth Dri. *H'ham* —3F **23**
Pevensey Clo. *Craw* —6D **12**
Peverel Rd. *If'd* —6B **10**
Phillips Clo. *M'bowr* —4C **16**
Pickett's La. *Horl* —3B **9**
Picts Hill. *H'ham* —5B **24**
Piggott Ct. *H'ham* —3E **25**
Pine Clo. *Craw* —2F **11**
Pine Gdns. *Horl* —5F **3**
Pine Gro. *E Grin* —2B **20**
Pinehurst. *H'ham* —6C **22**
Pine Shaw. *Craw* —4E **13**
Pines, The. *H'ham* —5H **23**
Pinetrees Clo. *Copt* —2A **18**
Pine Way Clo. *E Grin* —6E **21**
Piries Pl. *H'ham* —2D **24**
(off East St.)
Plantain Cres. *Craw* —3D **14**
Plat, The. *H'ham* —1B **24**
Playden Clo. *Craw* —2D **14**
Plough Clo. *If'd* —3C **10**
Plough La. *H'ham* —5E **23**
Plough Rd. *Small* —4E **5**
Plover Clo. *Craw* —3F **11**
Plovers Rd. *H'ham* —1G **25**
Poels Ct. *E Grin* —3E **21**
Poles La. *Low H* —5F **7**
Pollards. *Craw* —6D **10**
Pollards Dri. *H'ham* —1F **25**
Pondtail Clo. *H'ham* —4D **22**
Pondtail Copse. *H'ham*
—4D **22**
Pondtail Rd. *H'ham* —5C **22**
Pond Way. *E Grin* —4H **21**
Pond Wood Rd. *Craw* —3B **12**
Poplar Clo. *Craw* —2F **11**
Poplars, The. *H'ham* —1F **25**
Portland Rd. *E Grin* —5E **21**
Potter's Croft. *H'ham* —2F **25**
Pottersfield. *Craw* —4G **11**
Pound Hill Pde. *Craw* —4D **12**
Pound Hill Pl. *Craw* —5D **12**
Povey Cross Rd. *Horl* —6C **2**
Powell Rd. *Horl* —3D **2**
Poynes Rd. *Horl* —2D **2**
Poynings Rd. *If'd* —6A **10**
Premier Pde. *Horl* —4F **3**
(off High St. Horley,)
Prestwick Clo. *If'd* —6A **10**
Prestwood Clo. *Craw* —2E **11**
Prestwood La. *If'd* —1A **10**
Priestcroft Clo. *Craw* —5D **10**
Priestley Way. *Craw* —6B **8**
Primrose Av. *Horl* —6G **3**
Primrose Clo. *Craw* —2E **15**
Primrose Copse. *H'ham*
—3E **23**
Princess Rd. *Craw* —5F **11**
Priors Wlk. *Craw* —5A **12**

Priory Clo. *Horl* —3E **3**
Proctor Clo. *M'bowr* —1D **16**
Prospect Pl. *Craw* —5F **11**
Pudding La. *Horl* —2B **6**
Puffin Rd. *If'd* —6A **10**
Punch Copse Rd. *Craw*
—4A **12**
Punnetts Ct. *Craw* —3C **14**
Purcell Rd. *Craw* —2C **14**
Purley Clo. *M'bowr* —2E **17**
Purton Rd. *H'ham* —6B **22**
Pyecombe Ct. *Craw* —2C **14**

**Q**uail Clo. *H'ham* —3D **22**
Quantock Clo. *Craw* —5E **11**
Quarry Clo. *H'ham* —4F **23**
Quarry Rise. *E Grin* —2G **21**
Quarterbrass Farm Rd. *H'ham*
—3D **22**
Quebec Clo. *Small* —4D **4**
Queen's Ct. *Horl* —4F **3**
Queen's Ga. *Horl* —2B **8**
Queen's Rd. *E Grin* —5E **21**
Queen's Rd. *Horl* —4F **3**
Queen's Sq. *Craw* —5G **11**
Queen St. *H'ham* —3E **25**
Queens Wlk. *E Grin* —4E **21**
Queensway. *Craw* —5H **11**
Queensway. *E Grin* —5E **21**
Queensway. *H'ham* —3D **24**
Questen M. *Craw* —3E **13**

**R**ackham Clo. *Craw* —1G **15**
Radford Rd. *Tin G* —5C **8**
Railey Rd. *Craw* —4H **11**
Railway App. *E Grin* —4E **21**
Rakers Ridge. *H'ham* —5D **22**
Raleigh Ct. *Craw* —4F **11**
Raleigh Dri. *Small* —4D **4**
Raleigh Wlk. *Craw* —1H **15**
Ramblers Way. *Craw* —5E **15**
Ramsay Ct. *Craw* —4E **15**
Ramsey Clo. *Horl* —4E **3**
Ramsey Clo. *H'ham* —5D **22**
Randall Scholfield Ct. *Craw*
—4B **12**
Ranmore Clo. *Craw* —5F **15**
Ransome Clo. *Craw* —2B **14**
Rapeland Hill. *H'ham* —1F **23**
Rathbone Ho. *Craw* —4E **15**
Rathlin Rd. *Craw* —2E **15**
Raven Clo. *H'ham* —4E **23**
Ravendene Ct. *Craw* —6G **11**
Raven La. *Craw* —3F **11**
Ravenscroft Ct. *H'ham* —1D **24**
Raworth Clo. *M'bowr* —1D **16**
Raymer Wlk. *Horl* —3H **3**
Reapers Clo. *H'ham* —5D **22**
Rectory Flats. *Craw* —3C **10**
Rectory La. *Charl* —2A **6**
Rectory La. *If'd* —3C **10**
Red Admiral St. *H'ham* —5E **23**
Red Deer Clo. *H'ham* —6H **23**
Redditch Clo. *Craw* —3B **14**
Redehall Rd. *Small* —5E **5**
Redford Av. *H'ham* —6B **22**
Redgarth Ct. *E Grin* —2B **20**
Redgrave Dri. *Craw* —6E **13**

Redkiln Clo. *H'ham* —1G **25**
Redkiln Way. *H'ham* —6F **23**
Red River Ct. *H'ham* —5B **22**
Redshank Ct. *If'd* —6A **10**
(off Stoneycroft Wlk.)
Redwing Clo. *H'ham* —1G **25**
Redwood Clo. *Craw* —3H **11**
Reedings. *If'd* —1A **14**
Regal Dri. *E Grin* —5F **21**
Regents Clo. *Craw* —3F **15**
Reigate Clo. *Craw* —2E **13**
Reigate Rd. *Leigh & Hook*
—1B **2**
Reynard Clo. *H'ham* —5H **23**
Reynolds Pl. *Craw* —4F **11**
Reynolds Rd. *Craw* —4F **11**
Rhodes Way. *Craw* —2A **16**
Rices Hill. *E Grin* —4F **21**
Richardson Ct. *Craw* —4E **15**
Richborough Ct. *Craw* —5F **11**
Richmond Ct. *Craw* —6H **11**
Richmond Rd. *H'ham* —6C **22**
Richmond Way. *E Grin*
—5F **21**
Rickfield. *Craw* —6D **10**
Rickwood. *Horl* —3G **3**
Ridgehurst Dri. *H'ham* —3A **24**
Ridgeside. *Craw* —5A **12**
Ridgeway. *E Grin* —6E **21**
Ridgeway Ho. *Horl* —6F **3**
(off Crescent, The)
Ridgeway, The. *Horl* —6G **3**
Ridgeway, The. *H'ham* —6B **22**
Ridings, The. *Worth* —4F **13**
Ridley Ct. *Craw* —2E **13**
Rillside. *Craw* —2B **16**
Rill Wlk. *E Grin* —4H **21**
Rimmer Clo. *Craw* —5E **15**
Ringley Av. *Horl* —4F **3**
Ringley Oak. *H'ham* —6F **23**
Ringley Rd. *H'ham* —6E **23**
Ring Rd. N. *Horl* —1C **8**
Ring Rd. S. *Horl* —2D **8**
Ringwood Clo. *Craw* —1H **15**
Rise, The. *Craw* —5E **13**
Rise, The. *E Grin* —5F **21**
Ritchie Clo. *M'bowr* —3D **16**
River Mead. *H'ham* —3C **24**
River Mead. *If'd* —2D **10**
Riverside. *Horl* —6F **3**
Riverside. *H'ham* —2B **24**
Robert Way. *H'ham* —3F **23**
Robin Clo. *Craw* —3F **11**
Robin Clo. *E Grin* —3F **21**
Robin Hood La. *Warn* —5A **22**
Robinson Rd. *Craw* —6G **11**
Robinswood Ct. *H'ham* —6F **23**
Roebuck Clo. *H'ham* —6H **23**
Roffey Clo. *Horl* —4E **3**
Roffey's Clo. *Copt* —5H **9**
Roffye Ct. *H'ham* —6G **23**
Rona Clo. *Craw* —2E **15**
Rookery Hill. *Out* —1D **4**
Rookery La. *Small* —2D **4**
Rook Way. *H'ham* —4F **23**
Rookwood Pk. *H'ham* —1A **24**
Ropeland Way. *H'ham* —3E **23**
Rosamund Rd. *Craw* —1C **16**
Rosedale Clo. *Craw* —1D **14**
Rosemary Ct. *Horl* —3D **2**

# Rosemary La.—Spinney Clo.

Rosemary La. *Charl* —2B **6**
(in two parts)
Rosemary La. *Horl* —5G **3**
Roslan Ct. *Horl* —5G **3**
Ross Clo. *Craw* —2A **16**
Rossmore Clo. *Craw* —1E **13**
Rother Cres. *Craw* —6C **10**
Rothervale. *Horl* —2F **3**
Rough Field. *E Grin* —1D **20**
Rough Way. *H'ham* —5F **23**
Roundabout Rd. *Copt* —1B **18**
Roundway Ct. *Craw* —3G **11**
Rowan Clo. *Craw* —5A **12**
Rowan Clo. *H'ham* —5H **23**
Rowan Wlk. *Craw D* —5H **19**
Rowan Way. *H'ham* —5H **23**
Rowfant Clo. *Worth* —5F **13**
Rowland Clo. *Copt* —1D **18**
Rowlands Rd. *H'ham* —4G **23**
Royce Rd. *Craw* —6B **8**
Royston Clo. *Craw* —1B **12**
Rudgwick Keep. *Horl* —3H **3**
(off Langshott La.)
Rudgwick Rd. *Craw* —4C **10**
Rufwood. *Craw D* —5F **19**
Runcorn Clo. *Bew* —3B **14**
Runshooke Ct. *Craw* —2D **14**
Rushams Rd. *H'ham* —2C **24**
Rushetts Pl. *Craw* —2F **11**
Rushetts Rd. *Craw* —2E **11**
Ruskin Clo. *Craw* —2D **12**
Rusper Rd. *H'ham* —6F **23**
Rusper Rd. *Rusp & Crawl*
—4A **10**
Ruspers Keep. *If'd* —4C **10**
Russells Cres. *Horl* —5F **3**
Russell Way. *Craw* —6B **12**
Russet Clo. *Horl* —4H **3**
Russett Ct. *H'ham* —1H **25**
Russ Hill. *Charl* —4A **6**
Russ Hill Rd. *Charl* —3A **6**
Ruston Clo. *M'bowr* —2D **16**
Rutherford Way. *Craw* —6B **8**
Rutherwick Clo. *Horl* —4E **3**
Rutherwick Tower. *Horl*
—4E **3**
Rydal Clo. *If'd* —1A **14**
Ryders Way. *H'ham* —3F **23**
Rye Ash. *Craw* —4B **12**
(in two parts)
Ryecroft Dri. *H'ham* —1B **24**
Ryelands. *Craw* —6D **10**
Ryelands *Horl* —3H **3**

**S**ackville Clo. *E Grin* —2C **20**
Sackville Ct. *E Grin* —5F **21**
Sackville Gdns. *E Grin* —2C **20**
(in two parts)
Sackville La. *E Grin* —2B **20**
Saddler Row. *Craw* —2G **15**
Saffron Clo. *Craw* —2D **14**
St Agnes Rd. *E Grin* —3E **21**
*St Andrews. Horl* —5G **3**
(off Aurum Clo.)
St Andrews Rd. *If'd* —6A **10**
St Annes Rd. *Craw* —2D **12**
St Aubin Clo. *Craw* —3C **14**
St Barnabas Ct. *Craw* —4D **12**
St Brelades Rd. *Craw* —3C **14**

St Catherines Rd. *Craw*
—2D **12**
St Christopher's Clo. *H'ham*
—6C **22**
St Clement Rd. *Craw* —3C **14**
St Edmund Clo. *Craw* —2G **11**
St Edward's Clo. *E Grin*
—4C **20**
St Francis Gdns. *Copt* —1B **18**
St Francis Wlk. *Bew* —1B **14**
St Georges Clo. *Horl* —4G **3**
St George's Ct. *Craw* —4G **11**
St Georges Ct. *E Grin* —2C **20**
St George's Gdns. *H'ham*
—6E **23**
St Helier Clo. *Craw* —3D **14**
St Hilda's Clo. *Craw* —2D **12**
St Hilda's Clo. *Horl* —4G **3**
St Hughs Clo. *Craw* —2D **12**
St Ives. *Craw* —4D **12**
St James Rd. *E Grin* —4D **20**
St James Wlk. *Craw* —4F **15**
St Joan Clo. *Craw* —2G **11**
St John Clo. *H'ham* —3F **25**
St John's Clo. *E Grin* —3E **21**
St John's Rd. *Craw* —5F **11**
St John's Rd. *E Grin* —3E **21**
St Leonard's Dri. *Craw* —1B **16**
St Leonards Pk. *E Grin* —4D **20**
St Leonard's Rd. *H'ham*
—4F **25**
St Margaret's Rd. *E Grin*
—2F **21**
St Mark's La. *H'ham* —4D **22**
St Mary's Dri. *Craw* —3C **12**
St Mary's Gdns. *H'ham*
—3D **24**
St Mary's Wlk. *H'ham* —3D **24**
St Michaels Rd. *E Grin* —3E **21**
St Nicholas Ct. *Craw* —4D **12**
St Peter's Rd. *Craw* —5F **11**
St Sampson Rd. *Craw* —3C **14**
St Stephen Clo. *Craw* —2G **11**
St Swithun's Clo. *E Grin*
—4F **21**
St Vincent Clo. *Craw* —6E **13**
Salehurst Rd. *Worth* —5E **13**
Salisbury Rd. *Craw* —3H **15**
(in two parts)
Salisbury Rd. *H'ham* —4B **24**
Saltdean Clo. *Craw* —2G **15**
Salterns Rd. *M'bowr* —2D **16**
Salvington Rd. *Craw* —2C **14**
Samaritan Clo. *Bew* —1B **14**
Samphire Clo. *Craw* —2D **14**
Sandeman Way. *H'ham*
—4F **25**
Sandhawes Hill. *E Grin* —1G **21**
Sandhill La. *Craw D* —6G **19**
Sandpiper Clo. *If'd* —1A **14**
Sandringham Clo. *E Grin*
—5G **21**
Sandringham Rd. *Craw*
—3E **15**
Sandy La. *Craw D* —5E **19**
Sandy La. *E Grin* —4E **21**
San Feliu Ct. *E Grin* —3H **21**
Sangers Dri. *Horl* —4E **3**
Sangers Wlk. *Horl* —4E **3**
Sarel Way. *Horl* —2G **3**

Sargent Clo. *Craw* —3A **16**
Sark Clo. *Craw* —3D **14**
Satellite Bus. Village. *Craw*
—1H **11**
Saturn Clo. *Bew* —1B **14**
Saunders Clo. *Craw* —4C **12**
Savernake Wlk. *Craw* —2A **16**
Saxley. *Horl* —3H **3**
Saxon Cres. *H'ham* —6B **22**
Saxon Rd. *Worth* —6F **13**
Sayers Clo. *H'ham* —2F **25**
Sayers, The. *E Grin* —4C **20**
Scallows Clo. *Craw* —4B **12**
Scallows Rd. *Craw* —4B **12**
School Clo. *H'ham* —4G **23**
School Hill. *Warn* —2A **22**
School Wlk. *Horl* —4D **2**
Scory Clo. *Craw* —2D **14**
Scott Rd. *Craw* —2A **16**
Scott's Hill. *Out* —1G **5**
Seaford Rd. *Craw* —4D **14**
Searle's View. *H'ham* —5E **23**
Seddon Ct. *Craw* —4E **15**
Sedgefield Clo. *Worth* —4F **13**
Sedgewick Clo. *Craw* —5D **12**
Sedgwick La. *H'ham* —6G **25**
Selbourne Clo. *Craw* —1E **13**
Selham Clo. *Craw* —4D **10**
Selsey Ct. *Craw* —3E **15**
Selsey Rd. *Craw* —3D **14**
Selwyn Clo. *Craw* —2D **12**
Sequoia Pk. *Craw* —1G **15**
Serrin Way. *H'ham* —5E **23**
Severn Rd. *M'bowr* —6D **12**
Sewill Clo. *Charl* —2C **6**
Seymour Rd. *Craw* —3D **14**
Shackleton Rd. *Craw* —2H **15**
Shaftesbury Rd. *M'bowr*
—1E **17**
Shandys Clo. *H'ham* —3B **24**
Sharon Clo. *Craw* —2B **16**
Sharpthorne Clo. *If'd* —5C **10**
Shaws Rd. *Craw* —4A **12**
*Shearwater Ct. If'd —6A 10*
(off Stoneycroft Wlk.)
Sheffield Clo. *Craw* —1C **16**
Sheldon Clo. *Craw* —6E **13**
Shelley Clo. *Craw* —3D **12**
Shelley Rd. *E Grin* —4C **20**
Shelley Rd. *H'ham* —1C **24**
Shelleys Ct. *H'ham* —6G **23**
Shepherd Clo. *Craw* —2H **15**
Shepherds Way. *H'ham*
—5G **23**
Sheppey Clo. *Craw* —2E **15**
Sheraton Wlk. *Craw* —4E **15**
Sheridan Pl. *E Grin* —4C **20**
Sherwood Wlk. *Craw* —2A **16**
Shetland Clo. *Craw* —4F **13**
Shinwell Wlk. *Craw* —4E **15**
Shipleybridge La. *Ship B &*
*Craw* —4G **9**
Shipley Rd. *Craw* —4D **10**
Ship St. *E Grin* —5E **21**
*Shire Pde. Worth —4E 13*
(off Ridings, The)
*Shire Pl. Craw —4E 13*
(off Ridings, The)
Shirley Clo. *Craw* —3A **14**
Shoreham Rd. *M'bowr* —2D **16**

Short Clo. *Craw* —2G **11**
Short Gallop. *Craw* —4E **13**
Shortsfield Clo. *H'ham* —5C **22**
Shottermill. *H'ham* —3G **23**
Shovelstrode La. *E Grin*
—5H **21**
Silchester Dri. *Craw* —1E **15**
Silkin Wlk. *Craw* —4E **15**
Silver Birch Ho. *Craw* —4F **15**
Silverlea Gdns. *Horl* —5H **3**
Sinclair Clo. *M'bowr* —1D **16**
Siskin Clo. *H'ham* —5E **23**
Sissinghurst Clo. *Craw* —4E **13**
Skelmersdale Wlk. *Bew*
—3B **14**
Skipton Way. *Horl* —2G **3**
Skylark View. *H'ham* —3D **22**
Slaugham Ct. *Craw* —2C **14**
Sleets Rd. *Broad H* —1A **24**
Slinfold Wlk. *Craw* —5D **10**
(in two parts)
Sloughbrook Clo. *H'ham*
—4F **23**
Smallfield Rd. *Horl* —4G **3**
Smallfield Rd. *Horne* —4G **5**
Smallmead. *Horl* —4G **3**
Small's La. *Craw* —5G **11**
Smalls Mead. *Craw* —5F **11**
Smithbarn. *H'ham* —1H **25**
Smithbarn Clo. *Horl* —3G **3**
Smith Clo. *Craw* —2G **15**
Smolletts. *E Grin* —5C **20**
Snell Hatch. *Craw* —5E **11**
Snowdrop Clo. *Craw* —3D **14**
Snow Hill. *Craw* —2E **19**
(in two parts)
Snow Hill La. *Copt* —1E **19**
Soane Clo. *Craw* —1B **14**
Somergate. *H'ham* —2A **24**
Somerville Dri. *Craw* —2D **12**
Sorrel Clo. *Craw* —3D **14**
Sorrell Rd. *H'ham* —5E **23**
Southbrook. *Craw* —4F **15**
South Clo. *Craw* —4A **12**
Southdown Clo. *H'ham*
—5G **23**
Southgate Av. *Craw* —2G **15**
Southgate Dri. *Craw* —1G **15**
Southgate Pde. *Craw* —1G **15**
Southgate Rd. *Craw* —1G **15**
South Gro. *H'ham* —3E **25**
S. Holmes Rd. *H'ham* —6H **23**
Southlands. *E Grin* —6E **21**
Southlands Av. *Horl* —3F **3**
South Pde. *Horl* —3E **3**
S. Pier Rd. *Horl* —2C **8**
South St. *H'ham* —3D **24**
Southview Clo. *Copt* —2D **18**
Southwark Clo. *Craw* —3E **15**
Southwell Cotts. *Horl* —2B **6**
Southwick Clo. *E Grin* —3D **20**
Speedwell Way. *H'ham* —5E **23**
Spencers Pl. *H'ham* —6B **22**
Spencers Rd. *Craw* —6F **11**
(in two parts)
Spencer's Rd. *H'ham* —1C **24**
Spiers Way. *Horl* —6G **3**
Spindle Way. *Craw* —6A **12**
Spinney Clo. *Craw D* —5H **19**
Spinney Clo. *H'ham* —4H **23**

Spinney, The. *Craw* —1E **15**
Spinney, The. *Horl* —2F **3**
Spooners Rd. *H'ham* —6G **23**
Spring Copse. *Copt* —2B **18**
Spring Copse. *E Grin* —2F **21**
Springfield. *E Grin* —1D **20**
Springfield Ct. *Craw* —6G **11**
Springfield Ct. *H'ham* —2D **24**
Springfield Cres. *H'ham*
—2C **24**
Springfield Pk. Rd. *H'ham*
—2C **24**
Springfield Rd. *Craw* —6F **11**
Springfield Rd. *H'ham* —2C **24**
(in two parts)
Spring Gdns. *Copt* —2B **18**
Spring Gdns. *H'ham* —1D **24**
Spring Plat. *Craw* —5D **12**
Spring Plat Ct. *Craw* —5D **12**
Spring Wlk. *Horl* —4E **3**
Spring Way. *E Grin* —1G **21**
Spurgeon Clo. *Craw* —4F **11**
Square, The. *Craw* —5G **11**
Squires Clo. *Craw D* —5F **19**
Squirrel Clo. *Craw* —2E **11**
Stace Way. *Worth* —3F **13**
Stackfield Rd. *If'd* —6B **10**
Stafford Rd. *Craw* —2D **10**
Staffords Pl. *Horl* —5G **3**
Stagelands. *Craw* —3E **11**
Stagelands Ct. *Craw* —3F **11**
Stanbridge Clo. *If'd* —5B **10**
Standen Clo. *Felb* —2A **20**
Standen Pl. *H'ham* —3G **23**
Standinghall La. *Craw* —2H **17**
Stan Hill. *Charl* —1A **6**
Stanier Clo. *M'bowr* —6C **12**
Stanley Cen. *Craw* —2A **12**
Stanley Clo. *Craw* —1H **15**
Stanley Wlk. *H'ham* —2E **25**
Staplecross Ct. *Craw* —2D **14**
Station App. *Horl* —4G **3**
Station App. Rd. *Horl* —1C **8**
Station Clo. *H'ham* —2E **25**
Station Hill. *Craw* —4C **12**
Station Rd. *Craw* —6G **11**
Station Rd. *Craw D* —5G **19**
Station Rd. *E Grin* —4D **20**
Station Rd. *Horl* —4G **3**
Station Rd. *H'ham* —2E **25**
Station Rd. *Warn* —2A **22**
Station Way. *Craw* —6G **11**
Steers La. *Tin G* —5D **8**
Stephenson Dri. *E Grin* —6F **21**
Stephenson Pl. *Craw* —5C **12**
Stephenson Way. *Craw*
—5B **12**
Stepney Clo. *M'bowr* —1D **16**
Stevenage Rd. *Bew* —2B **14**
Steyning Clo. *Craw* —3H **11**
Stirling Clo. *M'bowr* —6D **12**
Stirling Way. *E Grin* —2H **21**
Stirling Way. *H'ham* —2F **25**
Stirrup Way. *Craw* —4E **13**
Stockfield. *Horl* —3G **3**
Stocks Clo. *Horl* —5G **3**
Stockwell Rd. *E Grin* —6E **21**
Stokers Clo. *Gat A* —2H **7**
Stokes Clo. *M'bowr* —1D **16**
Stonebridge Ct. *Craw* —3F **15**

Stonebridge Ct. *H'ham* —2C **24**
Stonecourt Clo. *Horl* —4H **3**
Stonecrop Clo. *Craw* —2E **15**
Stonefield Clo. *Craw* —6G **11**
Stoneleigh Clo. *E Grin* —4F **21**
Stoneybrook. *H'ham* —3A **24**
Stoneycroft Wlk. *If'd* —6A **10**
Stopham Rd. *M'bowr* —2D **16**
Storrington Ct. *Craw* —4D **10**
Strachey Ct. *Craw* —4E **15**
Strand Clo. *M'bowr* —1E **17**
Strathmore Rd. *If'd* —2D **10**
Stream Pk. *E Grin* —2A **20**
Street Hill. *Craw* —6F **13**
Street, The. *Charl* —2B **6**
Strickland Clo. *If'd* —6B **10**
Stroudley Clo. *M'bowr* —6C **12**
Strudgate Clo. *Craw* —1C **16**
Stuart Clo. *Craw* —6E **13**
Stuart Way. *E Grin* —6F **21**
Stubfield. *H'ham* —1B **24**
Stumblets. *Craw* —4D **12**
Suffolk Clo. *Horl* —5F **3**
Sullington Hill. *Craw* —1G **15**
Sullivan Dri. *Craw* —2B **14**
Summersvere Clo. *Craw*
—2B **12**
Sundew Clo. *Craw* —3D **14**
Sundials Cvn. Site. *Hkwd*
—5C **2**
Sunningdale Ct. *Craw* —1G **15**
Sunny Av. *Craw D* —5F **19**
Sunnyhill Clo. *Craw D* —5F **19**
Sunnymead. *Craw* —5G **11**
Sunnymead. *Craw D* —5G **19**
Surrenden Rise. *Craw* —5F **15**
Sussex Lodge. *H'ham* —6C **22**
Sussex Mnr. Bus. Pk. *Craw*
—1B **12**
Swaledale Clo. *Craw* —2F **15**
Swallowfields. *Horl* —4G **3**
Swallow Rd. *Craw* —3F **11**
Swallowtail Rd. *H'ham* —4E **23**
Swan La. *Charl* —2C **6**
Swann Way. *Broad H* —1A **24**
Swan Sq. *H'ham* —2D **24**
Swan Wlk. *H'ham* —2D **24**
Swift La. *Craw* —3F **11**
Swindon Rd. *H'ham* —6B **22**
Sycamore Av. *H'ham* —4H **23**
Sycamore Clo. *Craw* —2F **11**
Sycamore Dri. *E Grin* —4G **21**
Sylvan Rd. *Craw* —1B **16**

**T**albot La. *H'ham* —3D **24**
Tallis Clo. *Craw* —2C **14**
Talman Clo. *If'd* —6B **10**
Tamar Clo. *M'bowr* —6D **12**
Tanbridge Pk. *H'ham* —3B **24**
Tanbridge Pl. *H'ham* —3C **24**
Tanbridge Retail Pk. *H'ham*
—3C **24**
Tanfield Ct. *H'ham* —2C **24**
Tangmere Rd. *Craw* —5C **10**
Tanyard Av. *E Grin* —5G **21**
Tanyard Clo. *H'ham* —3F **25**
Tanyard Clo. *M'bowr* —2D **16**
Tanyard Way. *Horl* —2G **3**
Tarham Clo. *Horl* —2D **2**

Tatham Ct. *Craw* —4E **15**
Taunton Clo. *Craw* —5F **13**
Taylor Wlk. *Craw* —5F **11**
Teal Clo. *H'ham* —5C **22**
Teasel Clo. *Craw* —2E **15**
Teesdale. *Craw* —2F **15**
Telford Pl. *Craw* —6H **11**
Telham Ct. *Craw* —2C **14**
Temple Clo. *Craw* —6E **13**
Tennyson Clo. *Craw* —3C **12**
Tennyson Clo. *H'ham* —4E **23**
Tennyson Rise. *E Grin* —4C **20**
Tern Rd. *If'd* —6A **10**
Terry Rd. *Craw* —4E **15**
Thatcher Clo. *Craw* —2G **15**
Thatchers Clo. *Horl* —2G **3**
Thatchers Clo. *H'ham* —6E **23**
Thetford Wlk. *Craw* —3B **14**
Theydon Clo. *Craw* —1B **16**
Thirlmere Rd. *If'd* —1A **14**
Thistle Way. *Small* —4F **5**
Thomson Ct. *Craw* —4E **15**
Thorndyke Clo. *Craw* —6E **13**
Thornhill *Craw* —1E **15**
Thornton Clo. *Horl* —4D **2**
Thornton Pl. *Horl* —4D **2**
Thornton Wlk. *Horl* —4E **3**
Three Acres. *H'ham* —3B **24**
Three Bridges Rd. *Craw*
—5A **12**
Threestile Rd. *H'ham* —1A **22**
Ticehurst Clo. *Worth* —5F **13**
Tilgate Dri. *Craw* —3G **15**
(Brighton Rd.)
Tilgate Dri. *Craw* —6B **12**
(Water Lea)
Tilgate Forest (Forest Ga.) Bus.
Cen. *Craw* —4G **15**
Tilgate Mans. *Craw* —4A **16**
Tilgate Pde. *Craw* —2H **15**
Tilgate Pl. *Craw* —2H **15**
Tilgate Way. *Craw* —2H **15**
Tillotson Clo. *Craw* —6E **13**
Tiltwood Dri. *Craw D* —4H **19**
Timber Ct. *H'ham* —1D **24**
Timberham Way. *Horl* —1H **7**
Timberlands. *Craw* —4E **15**
Tinsley Grn. *Craw* —5C **8**
Tinsley La. *Craw* —1B **12**
Tinsley La. N. *Craw* —6C **8**
Tinsley La. S. *Craw* —3B **12**
Tintagel Ct. *H'ham* —3E **25**
Tintern Rd. *Craw* —1D **14**
Tiree Path. *Craw* —2E **15**
Titmus Dri. *Craw* —2A **16**
Todds Clo. *Horl* —2D **2**
Toftwood Clo. *Craw* —6D **12**
Tollgate Hill. *Craw* —5F **15**
Toronto Dri. *Small* —5D **4**
Tower Clo. *E Grin* —3E **21**
Tower Clo. *Horl* —4E **3**
Tower Clo. *H'ham* —4B **24**
Tower Ct. *E Grin* —3E **21**
Tower Hill. *Craw* —6A **24**
Town Barn Rd. *Craw* —5F **11**
Town Mead. *Craw* —4G **11**
Trafalgar Rd. *H'ham* —6C **22**
Treadcroft Dri. *H'ham* —5E **23**
Treeview. *Craw* —4F **15**
Trefoil Clo. *H'ham* —5E **23**

Trefoil Cres. *Craw* —3D **14**
Trenear Clo. *H'ham* —2F **25**
Trent Clo. *Craw* —1C **14**
Trevanne Plat. *Craw* —4E **13**
Trewaren Ct. *Craw* —5E **11**
Treyford Clo. *Craw* —5C **10**
Trinity Clo. *Craw* —3D **12**
Troon Clo. *If'd* —6A **10**
Trotton Clo. *M'bowr* —2D **16**
Trundle Mead. *H'ham* —5C **22**
Tudor Clo. *Craw* —6E **13**
Tudor Clo. *E Grin* —5F **21**
Tudor Clo. *Small* —4E **5**
Tulip Ct. *H'ham* —6C **22**
Tullett Rd. *M'bowr* —3C **16**
Tunnmeade. *If'd* —6B **10**
Turner Ct. *E Grin* —2G **21**
Turners Hill Rd. *Craw*
Turn H —2E **19**
Turners Hill Rd. *E Grin* —6B **20**
Turners Hill Rd. *P Hill & Worth*
—5E **13**
Turner Wlk. *Craw* —2A **16**
Turnpike Pl. *Craw* —3G **11**
Tuscany Gdns. *Craw* —2H **11**
Tushmore Av. *Craw* —2H **11**
Tushmore Ct. *Craw* —3H **11**
Tushmore Cres. *Craw* —2H **11**
Tushmore La. *Craw* —3H **11**
Tushmore Roundabout. *Craw*
—3G **11**
Tussock Clo. *Craw* —1D **14**
Tuxford Clo. *M'bowr* —1D **16**
Tweed La. *If'd* —2C **10**
Twitten, The. *Craw* —5F **11**
Two Mile Ash Rd. *Bar G*
—6A **24**
Twyhurst Ct. *E Grin* —2D **20**
Twyne Clo. *Craw* —1C **14**
Twyner Clo. *Horl* —3A **4**
Tylden Way. *H'ham* —4F **23**
Tyler Rd. *Craw* —2G **15**
Tymperley Ct. *H'ham* —1F **25**
Tyne Clo. *Craw* —6D **12**

**U**nderwood Clo. *Craw D*
—5G **19**
Upark Gdns. *H'ham* —4F **23**
Upfield. *Horl* —5F **3**
Upfield Clo. *Horl* —6F **3**
Up. Forecourt. *Horl* —2C **8**
(off Ring Rd. S.)

**V**ale Dri. *H'ham* —2C **24**
Vanbrugh Clo. *Craw* —2B **14**
Vancouver Ct. *Small* —4D **4**
Vancouver Dri. *Craw* —2G **11**
Vanners. *Craw* —4H **11**
Vector Point Ind. Est. *Craw*
—1A **12**
Verbania Way. *E Grin* —4H **21**
Vernon Clo. *H'ham* —6G **23**
Vicarage La. *Horl* —3E **3**
Vicarage Rd. *Craw D* —6F **19**
Vicarage Wlk. *E Grin* —4F **21**
Victor Ct. *Craw* —2E **13**
Victoria Clo. *Horl* —4F **3**
Victoria Ct. *H'ham* —2E **25**

# Victoria Rd.—York Rd.

Victoria Rd. *Craw* —5F **11**
Victoria Rd. *Horl* —4F **3**
Victoria Sq. *Horl* —4F **3**
(off Consort Way)
Victoria St. *H'ham* —2E **25**
Victoria Way. *E Grin* —6F **21**
Victory Rd. *H'ham* —1C **24**
Vincent Clo. *H'ham* —2G **25**
Vivienne Clo. *Craw* —2G **11**
Vulcan Clo. *Craw* —3F **15**

**W**addington Clo. *Craw*
—2D **14**
Wadham Clo. *Craw* —2D **12**
Wadlands Brook Rd. *E Grin*
—1D **20**
Wagg Clo. *E Grin* —4G **21**
Wagtail Clo. *H'ham* —3F **23**
Wain End. *H'ham* —5D **22**
Wainwrights. *Craw* —2G **15**
Wakehams Grn. Dri. *Craw*
—2E **13**
Wakehurst Dri. *Craw* —2G **15**
Wakehurst M. *H'ham* —3A **24**
Waldby Ct. *Craw* —2D **14**
Walesbeech. *Craw* —6B **12**
Walker Rd. *M'bowr* —1C **16**
Wallage La. *Craw* —6B **18**
Wallis Ct. *Craw* —1A **12**
Wallis Way. *H'ham* —6G **23**
Walnut La. *Craw* —2E **11**
Walnuts, The. *H'ham* —6C **22**
Walstead Ho. *Craw* —6G **11**
Walton Dri. *H'ham* —6H **23**
Walton Heath. *Craw* —3E **13**
Wandle Clo. *M'bowr* —6D **12**
Wantage Clo. *M'bowr* —2D **16**
Warbleton Ho. *Craw* —2C **14**
Warburton Clo. *E Grin* —4G **21**
Warltersville Way. *Horl* —6H **3**
Warner Clo. *M'bowr* —3D **16**
Warnham Rd. *Craw* —1B **16**
Warnham Rd. *H'ham* —5B **22**
Warren Dri. *Craw* —3D **10**
Warrington Clo. *Bew* —3B **14**
Washington Rd. *Bew* —2B **14**
Wassand Clo. *Craw* —5B **12**
Waterfield Clo. *H'ham* —1F **25**
Waterfield Gdns. *Bew* —1B **14**
Water Lea. *Craw* —6B **12**
Waterside. *E Grin* —4H **21**
Waterside. *Horl* —2F **3**
Waterside Clo. *Bew* —1B **14**
Water View. *Horl* —4A **4**
Watson Clo. *M'bowr* —2D **16**
Waveney Wlk. *Craw* —1C **16**
Waverley Ct. *H'ham* —2C **24**
Wayside. *If'd* —1B **14**
Weald Clo. *H'ham* —4F **25**
Weald Dri. *Craw* —6B **12**
Weald, The. *E Grin* —1F **21**
Weatherhill Clo. *Horl* —4C **4**
Weatherhill Rd. *Small* —4C **4**
Weaver Clo. *If'd* —6B **10**
Webb Clo. *Craw* —4E **15**

Weddell Rd. *Craw* —2A **16**
Weirbrook. *Craw* —2B **16**
Weller Clo. *Worth* —6E **13**
Wellfield. *E Grin* —6H **21**
Wellington Clo. *Craw* —2F **13**
Wellington Rd. *H'ham* —2E **25**
Wellington Town Rd. *E Grin*
—3D **20**
Wellington Way. *Horl* —2E **3**
Wells Clo. *H'ham* —2A **24**
Wells Lea. *E Grin* —2D **20**
Wells Meadow. *E Grin* —2D **20**
Wells Rd. *Craw* —3H **15**
Wellwood Clo. *H'ham* —6H **23**
Welwyn Clo. *Bew* —3B **14**
Wenlock Clo. *Craw* —1D **14**
Wensleydale. *Craw* —2F **15**
Wentworth Dri. *Craw* —4E **13**
Wesley Clo. *Craw* —2B **14**
Wesley Clo. *Horl* —2F **3**
West Av. *Craw* —3B **12**
Westcott Clo. *Craw* —5F **15**
Westcott Keep. *Horl* —3H **3**
(off Langshott La.)
Westfield Rd. *Craw* —5E **11**
West Grn. Dri. *Craw* —4F **11**
West Hill. *E Grin* —5D **20**
Westlands. *H'ham* —1F **25**
West La. *E Grin* —5D **20**
Westleas. *Horl* —2D **2**
W. Leigh. *E Grin* —6E **21**
Westminster Rd. *Craw* —6D **12**
Westons Clo. *H'ham* —3D **22**
West Pde. *H'ham* —6C **22**
West Pk. Rd. *Copt* —1E **19**
West St. *Craw* —6G **11**
West St. *E Grin* —5E **21**
West St. *H'ham* —2D **24**
W. View Gdns. *E Grin* —5E **21**
Westway. *Copt* —6H **9**
West Way. *Craw* —4B **12**
Westway. *Horl* —2C **8**
Wheatfield Way. *Horl* —3G **3**
Wheatsheaf Clo. *H'ham*
—5E **23**
Wheatstone Clo. *Craw* —6C **8**
Wheeler Rd. *M'bowr* —1C **16**
Wheelers La. *Small* —5D **4**
Whistler Clo. *Craw* —2A **16**
Whitecroft. *Horl* —3G **3**
Whitehall Dri. *If'd* —5B **10**
White Hart Ct. *H'ham* —6C **22**
Whitehorse Rd. *H'ham*
—4H **23**
Whitely Hill. *Worth* —4G **17**
Whitewalls. *Craw* —5C **10**
(off Rusper Rd.)
Whitgift Wlk. *Craw* —2G **15**
Whither Dale. *Horl* —3D **2**
Whitmore Way *Horl* —3D **2**
Whittington Rd. *Craw* —2G **15**
Whittle Way. *Craw* —5B **8**
Whitworth Rd. *Craw* —1G **11**
Wickham Clo. *Horl* —3E **3**
Wickland Ct. *Craw* —2G **15**
Widgeon Way. *H'ham* —5C **22**

Wilberforce Clo. *Craw* —5F **15**
Wilderwick Rd. *Ling & E Grin*
—1G **21**
Wildgoose Dri. *H'ham* —1A **24**
Wild Wood. *H'ham* —1A **24**
Wilkinson Ct. *Craw* —4E **15**
William Morris Way. *Craw*
—5E **15**
Williams Way. *Craw* —5C **12**
Willow Brean. *Horl* —2D **2**
Willow Clo. *Craw* —3H **11**
Willow Clo. *E Grin* —2D **20**
Willow Corner. *Charl* —2C **6**
Willow Ct. *Horl* —2G **3**
Willowfield. *Craw* —6F **11**
Willow Mead. *E Grin* —5F **21**
Willow Rd. *H'ham* —5H **23**
Willows, The. *H'ham* —5D **22**
Wilmington Clo. *Craw* —4F **15**
Wilmot's La. *Horne* —1G **5**
Wilson Clo. *M'bowr* —2E **17**
Wilson Way. *H'ham* —5D **22**
Wimblehurst Ct. *H'ham*
—6D **22**
Wimblehurst Rd. *H'ham*
—6C **22**
Wimland Rd. *H'ham* —3H **23**
Winchester Rd. *Craw* —3H **15**
Windmill Clo. *Horl* —4G **3**
Windmill Clo. *H'ham* —6G **23**
Windmill Ct. *Craw* —3G **11**
Windmill La. *Ash W* —6H **21**
Windmill La. *E Grin* —2D **20**
Windrum Clo. *H'ham* —4A **24**
Windrush Clo. *Craw* —1C **14**
Windsor Clo. *Craw* —3F **15**
Windsor Ct. *H'ham* —1G **25**
Windsor Pl. *E Grin* —5G **21**
Windyridge. *Craw* —6D **10**
Winterbourne. *H'ham* —3F **23**
Winterfold. *Craw* —2B **16**
Winterton Ct. *H'ham* —2E **25**
Wisborough Ct. *Craw* —2C **14**
Wiston Ct. *Craw* —2C **14**
Wiston Ct. *H'ham* —5D **22**
(off Woodstock Clo.)
Withey Meadows. *Hkwd*
—6D **2**
Woburn Rd. *Craw* —1D **14**
Wold Clo. *Craw* —1C **14**
Woldhurstlea Clo. *Craw*
—1D **14**
Wolstonbury Clo. *Craw* —1F **15**
Wolverton Clo. *Horl* —6E **3**
Wolverton Gdns. *Horl* —5E **3**
Woodbridge Ct. *H'ham*
—5G **23**
Woodbury Av. *E Grin* —5H **21**
Woodbury Clo. *E Grin* —5H **21**
Woodcote. *Horl* —3G **3**
Woodcourt. *Craw* —4F **15**
Woodcroft Rd. *If'd* —1A **14**
Wood End. *H'ham* —5H **23**
Woodend Clo. *Craw* —3B **12**
Woodfield Clo. *Craw* —4H **11**
Woodfield Rd. *Craw* —4H **11**

Woodgates Clo. *H'ham*
—1G **25**
Woodhurstlea Clo. *Craw*
—1D **14**
Wooding Gro. *Craw* —4E **15**
Woodland Clo. *H'ham* —6H **23**
Woodland Dri. *Craw D* —5G **19**
Woodlands. *Craw* —3E **13**
Woodlands. *Horl* —3H **3**
Woodlands Clo. *Craw D*
—6G **19**
Woodlands Rd. *E Grin* —1G **21**
Woodlands, The. *Small* —4E **5**
Woodland Way. *H'ham*
—6H **23**
Woodmans Hill. *Craw* —4F **15**
Woodroffe Benton Ho. *Craw*
(off Rusper Rd.)      —5C **10**
Woodroyd Av. *Horl* —5E **3**
Woodroyd Gdns. *Horl* —6E **3**
Woodside. *H'ham* —6H **23**
Woodside Cres. *Small* —4D **4**
Woodside Rd. *Craw* —3A **12**
Woodstock. *E Grin* —3C **20**
Woodstock Clo. *H'ham*
—5D **22**
Wood St. *E Grin* —4D **20**
Woodwards. *Craw* —4E **15**
Woolborough Clo. *Craw*
—4H **11**
Woolborough La. *Craw*
—2A **12**
Woolborough Rd. *Craw*
—4H **11**
Worcester Rd. *Craw* —3H **15**
Wordsworth Clo. *Craw* —3C **12**
Wordsworth Pl. *H'ham* —3E **23**
Wordsworth Rise. *E Grin*
—4C **20**
Worsted La. *E Grin* —5H **21**
Worth Ct. *Craw* —4H **17**
Worthing Rd. *H'ham* —6B **24**
Worth Pk. Av. *Craw* —4C **12**
Worth Rd. *Craw* —4D **12**
Worth Way. *Worth* —6F **13**
Wren Clo. *H'ham* —3D **22**
Wren Ct. *Craw* —2H **15**
Wright Clo. *M'bowr* —3C **16**
Wroxham Wlk. *Craw* —1C **16**
Wycliffe Ct. *Craw* —2B **14**
Wye Clo. *Craw* —5F **15**
Wynlea Clo. *Craw D* —5F **19**
Wysemead. *Horl* —3H **3**

**Y**armouth Clo. *Craw* —1B **16**
Yarrow Clo. *H'ham* —5E **23**
Yattendon Rd. *Horl* —4G **3**
Yewlands Wlk. *If'd* —1A **14**
Yew La. *E Grin* —2B **20**
Yew Tree Clo. *Horl* —3F **3**
Yew Tree Ct. *Horl* —2F **3**
Yew Tree Rd. *Charl* —2B **6**
York Av. *E Grin* —5F **21**
York Clo. *H'ham* —1G **25**
York Rd. *Craw* —3H **15**

Every possible care has been taken to ensure that the information given in this publication is accurate and whilst the publishers would be grateful to learn of any errors, they regret they cannot accept any responsibility for loss thereby caused.

The representation on the maps of a road, track or footpath is no evidence of the existence of a right of way.

The Grid on this map is the National Grid taken from the Ordnance Survey map with the permission of the Controller of Her Majesty's Stationery Office.